아리아가 중얼거렸다.

"내가,
좀 더 강했다면—."

세븐스

6

Yomu Mishima
미시마 요무

illustration
토모조

"돈도 여자도 손에 넣었다.
남은 건 명예와 지위다."

"나를 따라오면,
너희에게도 호강을 시켜주마."

「무대」에 오른 것은 선정적인 의상을 입은
에바 씨와 미란다 씨다.
노출이 많고, 까놓고 말해서 자극이 심한 차림새다.
올라온 두 사람을 양옆에 끼고, 어깨를 안아서 끌어당겼다.

"서, 선생님. 츤데레라는 게 뭔가요?"

츤데레

모니카는
어이없는 표정으로 대답했다.

노웸은 그 동화에 대해 이야기했다.
그랬었구나.
샤논도 고개를 끄덕였다.

아람사스를 나와 왕도 센트럴에 도착한 라이엘 일행.

미란다와 샤논의 친가인 사크라이 가의 초대를 받는다.

그곳에서 나타난 것은—【리오넬 월트】.

궁정 귀족 월트 가— 같은 일족의 남자였다.

초대 버질 월트가 독립하고 나서 백작가까지 올라서게 된

영주 귀족 월트 가는, 근원을 따라가면 궁정 귀족 출신이다.

당연히 왕도 센트럴에는 궁정 귀족인 월트 가가 남아있는 것이다…….

사크라이 가의 차녀와 연인 사이인 리오넬.

미란다와 샤논을 동료로 들인 라이엘.

나이도 가깝고, 같은 청발 청안이라 두 사람은 무척 닮았다.

그러나 친척이라고 하기에는 멀고, 인연이 없느냐고 하면 그렇지도 않다.

애매한 관계이고, 라이엘에 이르러서는 폐적되어 가문에서 쫓겨났다.

완전 타인은 아니지만…… 그런 관계.

그러나, 한 명은 백작가의 옛 후계자.

또 한 명은 아슬아슬하게 귀족에 머무는 말석.

그런 리오넬이, 그런 라이엘에게 호감을 가질 리가 없었고…….

두 사람이 모이게 된 사크라이 가 저택.

미묘한 분위기 속에서, 랄프가 꺼낸 말이란……?!

라이엘의 운명은?

그리고, 아츠는 무사히 계승할 수 있을 것인가—.

세 븐 스

7th

6

미시마 요무 지음

토모조 일러스트

이경인 옮김

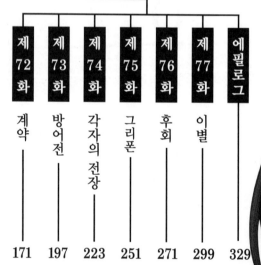

CONTENTS

7th 세 븐 스 6

초대

버질 월트

1단계 풀 오버

육체 강화. 자신의 신체능력을
1할에서 2할 향상시킨다.

2단계 리미트 버스트

한계를 넘어선 힘을 끌어내지만,
몸에 걸리는 부담은 무시.

3단계 풀 버스트

몸에서 푸른 불꽃을 뿜어내며
신체능력을 배로 끌어올린다.

2대

크라셸 월트

1단계 올

타인에게 아츠를 사용하게 해줄 수 있다.
자신을 중심으로 한 구형의 범위를
오감과는 별도로 인식하게 해주는
부차적인 효과가 메인.

2단계 필드

집단에게 아츠를 동시에 사용하게 해줄 수 있다.
올보다 범위가 더욱 넓어진다.

3단계 ???

3대

슬레이 월트

1단계 마인드

환각을 보여주는 등,
상대의 정신에 간섭하는 아츠.

2단계 ???

3단계 ???

4대

마크스 월트

1단계 스피드

이동 속도를 안정적으로 향상시킨다.

2단계 ???

3단계 ???

역대 당주 아츠 소개

5대

프레더릭스 월트

1단계	맵

주변의 지도를 머릿속에서
선명하게 볼 수 있다.

2단계	???

3단계	???

6대

파인즈 월트

1단계	서치

주변의 피아를 판별.
트랩 등등의 위치도 확인할 수 있다.

2단계	???

3단계	???

7대

브로드 월트

1단계	박스

생물을 제외한 것들을 수납할 수 있는
공간계 아츠.

2단계	???

3단계	???

라이엘 월트

1단계	익스피리언스

더욱 많은 경험을 손에 넣는다.
성장이 빨라진다. 주변에도 영향이 미친다.

2단계	???

3단계	???

프롤로그

만남은 갑작스러웠다.

목에 건 푸른 보옥에서 예전 보유자들— 선조들의 기억이 아츠와 함께 되살아나 내게 말을 걸어왔다.

평소였다면 믿음직하고, 근사한 능력을 가진 아츠를 가르쳐주는 존재인 역대 당주들.

그러나.

그들에게는 그들의 가치관이 있고, 살아온 시대가 있다.

그래서 철부지인 나를 미덥지 못하다며 욕하고, 화내고, 웃는다.

그런 역대 당주들이 일곱 명이다.

여행을 시작하는 계기가 여동생에게 패하고 집에서 쫓겨났다는 최악의 경우였기에, 역대 당주들과의 만남 역시 최악이라고 말하지 않을 수 없었다.

처음에는 가보인 푸른 보옥이 저주받은 목걸이처럼 느껴졌다.

그들이 소란을 부리면 나는 마력을 빼앗긴다.

성장 전의 나는 곧바로 마력 부족을 일으키며 쓰러져서 주변에 민폐를 끼쳤다.

어째서 내게 부담을 주는가.

어째서 얌전히 있어 주지 않는가.

어째서 시끄러운가…… 까놓고 말해서 민폐였다고 기억하고 있다.

그러나, 때때로 믿음직하기도 했다. 역대 당주들은 여러 가지를 가르쳐주었다.

그들밖에 모르는 진실도 몇 가지 있었다.

친가— 월트 가가 대대로 지켜오던 혼인 가훈이 사실은 초대의 거짓말 때문이었다는 건 지금 와서는 웃을 수밖에 없다.

영웅으로 알려진 선조가, 본인에게는 그럴 생각이 없었고 전해지던 인물상과는 동떨어진 사람이었던 것도 놀랐다.

무척이나 우수한 내정 수완으로 칭송받던 사람이, 실은 금화를 너무나 좋아하고 저금이 취미라는, 어딘가 쪼잔한 취미를 가지고 있었다.

여성을 많이 거느렸다고 들어서 여자놀음을 좋아했던 건가 싶었는데, 반대로 그런 노는 사람하고는 거리가 먼 인물도 있었다.

그리고 영지를 가장 많이 넓혔던 인물이 공처가였다고 들었을 때는 귀를 의심했다.

손주에게는 물렀던 조부의 옛날이야기나 고생담도 들었다.

그들은 전해지던 인물상과는 크게 동떨어졌고, 너무나도 인간다웠다.

그런 역대 당주들이 보옥 안에서 기억으로 되살아난 것에는 이유가 있다.

그들이 발현하고, 쌓아온 기술— 아츠를 내게 계승하기 위해서다.

그걸 위해 존재하는 역대 당주들은 역할을 마치면 사라지고 만다.

확실히, 보옥으로서는 그게 올바를지도 모른다.

보옥으로서는 올바르더라도, 내게는…….

학술도시 아람사스에서 나온 우리 일행은 왕도 센트럴로 향하고 있었다.

지금부터 어딘가 다른 토지를 가더라도, 우선은 센트럴로 향하는 게 편리하다.

왕도이기에 지방으로 향하는 가도가 집중되어 있으니까.

각지에서 물품이 모이는 왕도에는 각지의 정보도 모인다.

앞으로 어디를 가야 좋을지 판단하기 위해서라도, 그리고 여러 정보를 모으기 위해서라도 이쪽이 더 낫다.

그리고 무엇보다도, 센트럴에는 아람사스에서 맞이한 사크라이 자매의 친가가 있다.

미란다 씨가 친가에 보낸 편지의 답신에는, 한번은 얼굴을 내밀라고 적혀있었다.

사크라이 가의 저택으로 갈 필요가 있다.

『뭘까? 마치 「따님을 제게 주십시오!」라는 느낌과 비슷하네.』

3대의 느긋한 목소리가 들렸다.

보옥 안, 원탁의 방.

내가 의식을 보옥에 옮길 때 역대 당주 전원이 모이는 곳이다.

천장에는 커다란 푸른 보옥을 중심으로 작은 보옥이 방사형으로 배치되어 있다.

숫자는 24.

그중 빛을 발하는 건 11.

이건 내가 아츠를 어느 정도 습득했는지 가르쳐준다.

원탁 주변에는 의자가 있고, 역대 당주들이 각자 앉아있다.

그들의 뒤에는 문이 있다.

문은 역대 당주들의 기억과 이어져 있고, 방으로 들어가면 그들이 강하게 기억하는 것을 재생할 수 있다.

내게도 앉을 의자가 있다.

그러나, 내 뒤에는 문이 없다.

웃고 있는 7대는 이 상황을 즐기고 있는 모양이다.

『뭐, 실제로 잘못되지는 않았지요. 사크라이 가 당주 입장에서는 딸을 빼앗은 라이엘의 얼굴을 보고 싶을 테니까요. 생쥐 같은 궁정 귀족이 잘난 척은⋯⋯.』

마지막에 궁정 귀족을 향한 불만을 토로하는 걸 봐서는, 전 당주라고 해도 역시 사람이다.

역대 당주들은 확실히 위인이지만, 사람으로서 좋은 부분도 나쁜 부분도 다 가지고 있다.

6대는 호쾌하게 웃었다.

『라이엘. 차라리 도발하는 게 어떠냐. 미란다가 나를 선택했다고 말하는 거다.』

5대는 경계하는 모습을 보였다.

『싸움을 걸어서 어쩔 거야. 상대의 의도를 모른다면 일단은 낌새를 보는 게 좋아. 아무래도 상대는 방심할 수 없는 궁정 귀족님이니까.』

역대 당주들은 영주 귀족이다.

반세임 왕국의 귀족은 크게 나눠서 영지를 가진 영주 귀족과, 왕에게 봉급을 받고 왕도에서 생활하는 직속 신하인 궁정 귀족이라는 두 종류가 존재한다.

영주 귀족은 왕에게 영지를 가지는 것을 인정받고, 대가로 왕에게 충성을 맹세한다.

반면 궁정 귀족은 국왕에게서 급여— 연금을 받으며, 왕도에 산다.

양자에게 같은 가치관을 가지라고 하는 게 오히려 문제다.

4대가 묘하게 짜증난다는 듯이 끄덕였다.

『네, 이해합니다. 이해하고말고요. 그 녀석들은 방심할 수 없으니까요. 곤란할 때는 저자세로 다가오다가, 상황이 끝나면 거만한 시선으로 돌아오죠. 기본적으로 우리를 바보 취급하는 녀석들이니까요.』

말만 들어도 궁정 귀족에게 좋은 추억이 없다는 걸 알 수 있었다.

그건 2대도 마찬가지였다.

『나 때도 여러모로 고생했지. 그 시절에는 소영주였고, 센트럴에는 본가가 있었으니까.』

본가.

그곳은 초대 버질 월트가 태어난 가문이다.

궁정 귀족의 말석으로 아슬아슬하게 세습을 허락받은 가문이 월트 가의 본가다. 그러나 분가 취급을 받던 영주 귀족 월트 가가 오히려 더 커지고 말아서 사이가 나빠졌다.

옛날 2대 시대에는 교류도 있었기에, 당시를 떠올리면 골치가 아팠던 모양이다.

이마에 손을 짚고 있었다.

『돈을 내놓으라는 둥, 병사를 내놓으라는 둥 시끄러웠지. 아버지는 거의 자기 힘으로 독립했지만, 인연이라는 건 간단히 끊을 수 없으니까 고생했다고.』

나도 고개를 갸웃했다.

"그렇게나 안 좋은 관계였나요?"

2대는 힘없이 웃으며 대답했다.

『내 시대에는 최악이었지만…… 다른 쪽은 어떠냐? 인연은 끊겼다고 들었는데?』

다른 역대 당주들에게 말을 걸자, 3대가 대답했다.

『내 시대에는 전쟁이 잦아서 얽힐 여유도 없었어.』

4대도 고개를 끄덕였다.

『제 시대도 같습니다. 몇 번 스쳐 지나가기는 했지만 그뿐이었죠.』

7대가 이야기를 정리했다.

『규모도, 가문의 격도 우리가 우위에 서게 되고 나서는 어울릴 가치가 없는 가문이었습니다. 게다가 뭔가 은혜라도 있었으면 모를까, 우리 쪽에서는 불쾌하기 짝이 없었으니 인연을 끊었죠. 뿌리를 따라가면 같은 가문이지만, 본가라며 으스대는 낯짝은 역겹기 짝이 없었죠.』

일방적인 관계였기에 시대의 흐름과 함께 관계가 흐릿해졌다고 한다.

6대가 이야기를 되돌렸다.

『이제는 얽힐 일도 없겠지만, 인연이란 신기한 법이니까. 라이엘, 상대가 시비를 걸어오더라도 상대하지 않는 게 좋아. 자, 그럼. 이야기를 되돌릴까— 2대.』

전원의 시선이 2대에게 모이자, 그는 묘하게 쑥스러워했다.

2대『크라셀 월트』는 지금 멤버 중에서는 존재감이 흐릿하다.

날카로운 시선과 사냥꾼 차림은 특징적이지만, 2대 시절의 월트 가는 소영주였다.

성실했던 2대는 월트 가의 역사 속에서는 그리 눈에 띄지 않는 존재다.

개척에 나섰던 초대는 용맹을 떨치던 인물이고, 아들인 3대는 반세임의 영웅 중 하나로 꼽힌다.

그런 두 사람 사이에 낀 2대는 한마디로 말하면 수수했다.

본인도 알고 있는 모양이었다.

『뭐, 그렇지. 라이엘에게 슬슬 내 아츠를 전수하려고 생각했다.』

2대가 이야기를 꺼내자, 나는 묘하게 가슴이 답답해졌다.

이 아픔은 대체?

"네? 그래도, 2대의 아츠는—."

2대의 아츠는 2단계까지 습득했다.

남은 건 3단계. 마지막이다.

『다른 녀석들과도 상담했지만, 나는 여기까지야. 게다가 지금의 라이엘이라면 나의 아츠 정도는 간단히 익힐 수 있겠지.』

2대는 이미 이별을 각오한 표정이었다.

『괜찮아. 내가 없더라도 이 녀석들이 있으니. 게다가 이제……내가 가르쳐줄 수 있는 건 별로 없으니까. 라이엘, 너는 이미 훌륭해. 미덥지 못한 구석도 있지만, 처음 만났을 때와 비교하면 천양지차지. 너는 이제 괜찮아.』

2대의 웃음은 어딘가 슬퍼 보이기도 했지만, 거절할 수 없는 분위기가 만들어졌다.

"다, 다른 아츠를 배운다든가……."

내가 시선을 이리저리 돌리며 습득을 미루려고 하자, 2대는 고개를 가로저었다.

『아니, 먼저 내 아츠부터 배워라. 그러는 게 좋아. 게다가 앞으로 도움이 될 테니까.』

2대의 아츠는 본인의 성격을 반영해서 꽤 수수하다.

아츠를 타인이 사용할 수 있게 해준다는 것.

그러나 부가적인 효과가 굉장해서, 지금까지 수없이 도움을 받아왔다.

『너는 앞으로 강해질 거다. 내 아츠가 그 도움이 된다면 기쁘겠지. 자, 슬슬 가자. 이런 건 기세가 중요하니까.』

그런 2대에게 이끌린 채, 나는 2대 뒤에 있는 기억의 방으로 향하게 되었다.

묘하게— 가슴이 괴로웠다.

센트럴로 향하는 포터 안에서.

나는 살며시 눈을 떴다.

눈을 뜬 내게 말을 걸어온 것은 노웸이었다.

"라이엘 님, 일어나셨나요? 꽤 피곤하신 것 같은데요."

걱정스러워하는 노웸의 얼굴을 본 나는 안도했다.

"응, 조금 피곤할지도 몰라."

가도를 나아가는 장갑차— 포터의 차내는 넓다. 주변을 보니 소피아 씨가 자고 있다.

뽀용뽀용, 아니 개명해서 모니카는 뭔가 열심히 뜨개질을 하고 있었다.

단지, 완성되는 속도가 범상치 않다.

손을 멈추고 나를 바라봤다.

"어머, 치킨 자식. 일어났나요? 어쩔 수 없네요. 이 모니카가 치킨 자식을 위해 시중을—"

"아니, 필요 없어."

자다가 일어났을 뿐인데 시중을 들겠다고 하면 곤란하다.

단호하게 거절하자, 모니카는 슬픈 듯이 어깨를 떨구고는 뜨개질 작업으로 복귀했다. 보고 있는 내가 오히려 죄책감이 자극될 정도다.

"……그런, 가요. 무슨 일이 있으시면 불러주세요. 이 모니카. 뽀용뽀용에서 개명한, 「이 모니카」가! 치킨 자식의 시중을 들 테니까요."

예전부터 불만이었던 이름이 바뀐 것이 기쁜지, 모니카는 계속해서 그걸 언급하고 있다.

그렇게나 불만이었나 싶어서, 차라리 또 뽀용뽀용으로 개명 해주고 싶은 기분이다.

다른 멤버는 어떤가 싶어서 고개를 움직여 차내에 시선을 돌렸다.

천장에 열린 해치에서 목소리가 들린다 싶어서 보니, 지붕 에 올라간 샤논과 아리아 씨였다.

"질렸어. 이제 여행 같은 건 지긋지긋해!"

"참아. 그리고 원래는 시간이 훨씬 많이 걸리거든."

"싫어. 목욕탕에 들어가고 싶어!"

"어리광부리지 마! 밤에는 온수가 나오니까 좀 낫잖아."

"욕조에 들어가고 싶어. 추우니까 침대에서 자고 싶어."

"……너, 정말로 성격 참 대단하네. 보통은 여행에 그 정도 까지는 요구하지 않아."

어리광을 부리는 샤논의 목소리에, 어이없어하는 아리아 씨 의 목소리.

아마 두 사람은 파수를 보고 있는 것이리라.

그렇다면, 모습이 보이지 않는 미란다 씨는 클라라 씨와 함 께 운전석에 있나.

나는 흔들림이 적은 장갑차 안에서 상반신을 일으켜 앉았다.

노웸이 물통에서 차를 컵에 따르고는 내게 건네줬다.

"라이엘 님, 받으세요."

"고마워."

컵에서 솟아나는 증기…… 차내는 그나마 낫지만, 분명 바깥은 추울 거다. 슬슬 계절은 겨울로 접어들고 있었다.

노웸이 내 얼굴을 바라봤다.

"왜 그래?"

"아뇨, 뭐랄까…… 라이엘 님. 기쁜 일이라도 있으셨나요?"

그런 노웸의 말을 듣고, 나는 살짝 웃었다.

"……글쎄?"

그렇게 말하며 차를 입에 넣자, 보옥 안에서 목소리가 들려왔다.

—2대의 목소리다.

『……이봐, 대체 어떻게 된 거냐!』

4대가 타일렀다.

『아니, 뭐라고 해야 할지…… 2대도 진정하시죠.』

2대가 목소리를 높였다.

그렇다. 2대는 아직 사라지지 않았다.

『이상하잖아! 왜 실패하는 거냐고! 게다가 나는 그대로 사라지는 흐름이었잖아! 조금 부끄럽다고!』

2대는 사라지리라고 생각해서 그럴싸한 말을 실컷 늘어놓았었지.

동정하는 분위기가 감도는 가운데, 3대만큼은 웃었다.

『너는 이제 괜찮을 거다, 그렇게 말하며 헤어질 생각이었는데 돌아왔으니까. 아무리 그래도 놀랐어.』

『웃지 마라! 나는 너의 그런 점이 싫다고!』

확실히…… 기억의 방에서 나와 함께 돌아온 2대는 정말로 부끄러워 보였다.

다른 역대 당주들도 놀랐고, 그래서 원탁의 방은 묘한 분위기에 휩싸였다.

『라이엘, 네 책임이다! 그보다, 왜 아츠 계승을 못하는 거냐! 내 아츠는 그렇게 어렵지 않다고!』

아니, 충분히 어려웠다.

분명 내게는 아직 그걸 익힐 힘이 부족한 거겠지.

천천히 차를 마시는 나를 본 노웸은 왠지 기쁜 듯이 미소 지었다.

"라이엘 님. 좋은 꿈이라도 꾸셨나요?"

나는 살짝 끄덕였다.

"그럴지도 몰라."

애초에 내가 간단히 익힐 수 있다고 멋대로 판단한 역대 당주들의 잘못이다.

그렇게 나오면— 마치 내가 일부러 실패한 것 같잖아.

천장에서 목소리가 들려왔다.

"앗! 보인다!"

샤논의 밝은 목소리다. 아리아 씨가 해치에서 얼굴을 내밀

고 차내를 엿봤다.

거꾸로 뒤집힌 얼굴에서 머리털이 길게 늘어졌다.

조금 무섭다고 생각한 건 입 밖으로 내지 않는 게 좋겠지.

"이봐~ 센트럴이 보여. 어머, 라이엘 일어났어?"

고개를 끄덕이자, 아리아 씨는 소피아 씨에게 말을 걸었다.

"소피아. 이제 그만 일어나. 슬슬 도착할 거야."

모포를 덮고 있던 소피아 씨가 눈을 비비며 일어났다.

"도착했나요? 꽤 빠르네요."

하품을 참는 소피아 씨에게서 아리아 씨에게로 시선을 돌리자, 이미 없었다.

나는 컵을 노웸에게 주고 천장 해치에서 고개를 내밀었다.

역시 바깥은 추웠다.

몸이 떨리지만, 상반신까지 밖으로 꺼내서 경치를 바라봤다.

멀리, 커다란 벽의 보호를 받는 센트럴의 모습이 보였다.

"겨우 도착했나."

보옥 안에서는 부끄러움과 나를 향한 짜증을 실어서 고함치는 2대의 목소리가 들려왔다.

얼마 전까지는 시끄럽다고 생각했지만…… 지금은 이게 평범하게 느껴진다.

그래. 이게 나의 일상이다.

『라이엘, 이야기 좀 들어라!』

센트럴의 문.

7대의 아츠인 박스를 사용해서 포터를 수납하고, 필요한 짐만 든 우리 일행은 수속을 마치고 문을 지났다.

반세임 최대 도시의 경치가 펼쳐졌다.

몇 번 찾아오긴 했지만, 이 거대한 규모는 아람사스와는 전혀 다른 인상을 준다.

개성적인 아람사스도 충격이었지만, 센트럴은 다른 토지를 보고 온 뒤에도 놀라는 일이 많다.

도착한 것은 오후.

아직 어디 머물기에는 이른 시간이지만, 여행의 피로도 있기에 여관을 찾기로 했다.

처음으로 아람사스를 나와서 본격적인 여행을 하게 된 클라라 씨가 부지런히 주변을 돌아봤다.

"역시 아람사스와는 다르네요. 사람이 많아요."

센트럴 출신인 미란다 씨가 웃으며 설명해줬다.

"그러게. 뭐, 가만히 있어도 사람이 모여들고, 아무튼 크니까."

마물이 배회하기 때문에, 도시 규모가 커지면 반드시 벽을 만들어서 방어를 고려할 필요가 있다.

높고 두꺼운 벽에 보호받는 센트럴은 벽 안쪽의 토지도 넓다.

그러나 오랫동안 사람이 살아와서 그런지, 벽 안은 묘하게 비좁게 느껴진다.

건물이 꽉꽉 들어차서 지어진 것도 이유 중 하나지만, 무엇보다 사람이 많다.

아리아 씨도 태어난 고향이 여기라서 센트럴은 잘 안다.

"사람이 많고 더럽긴 하지만. 강 같은 곳은 정말 심해. 여행을 하면서 알게 된 건데, 사람이 별로 없는 토지는 강도 아름다워서 놀랐다니까."

문 근처는 출입하는 사람이나 마차 때문에 흙먼지가 심하고, 아무튼 냄새가 고약하다.

빨리 이동해서 여관을 찾으려고 이야기를 나누는 사이, 문득 우리를 바라보는 시선을 알아챘다.

나라기보다는, 미란다 씨나 샤논을 보는 것 같다.

경계하면서 여관을 찾기 위해 걸었다.

이윽고 상대는 우리가 여관에 들어가는 걸 확인하고 떨어졌다.

적의는 느껴지지 않았지만, 아무래도 신경이 쓰였다.

여관에 들어간 지 몇 시간 뒤.

여행의 피로를 풀기 위해 각자 목욕탕에 들어가거나 누워있는 등 저마다 시간을 보냈다. 해가 저무는 것도 빨라서 바깥은 어두워지기 시작했다.

그럴 때, 여관 주인이 손님이 왔다며 말을 걸어왔다.

여관 1층은 로비로 되어있다.

사람이 출입할 때마다 차가운 공기가 들어와서 방 온도를 내린다.

난방은 있지만, 조금 따스해질 만하면 다시 문이 열리는지라 좀처럼 따스해지지 않는다.

그래서 여기에 머무는 사람은 많지 않았다.

빨리 밖으로 나가거나, 방으로 돌아갈 뿐이다.

계단을 내려가자, 미란다 씨가 손님을 응대하는 게 보였다.

아는 사이로 보이는 그 상대는 백발의 노신사 같은 남성이었다. 정장 차림에 코트와 모자를 들고 있다. 반대쪽 손에는 지팡이를 들었지만, 지팡이를 짚고 걸을 만한 노인으로는 보이지 않았다.

등이 쫙 뻗었고, 몸을 단련하고 있다는 것을 옷 위에서도 알 수 있었으니까.

그는 웃으면서 미란다 씨와 샤논에게 말을 걸었다.

"오랜만입니다, 미란다 아가씨. 샤논 아가씨. 그나저나, 미란다 아가씨는 점점 증조할머님을 닮아가시는군요."

말투로 보아하니, 사크라이 가에서 일하는 고용인인 것 같다. 미란다 씨의 대응도 고용인을 상대하는 느낌이었다.

"은퇴한 지 꽤 지났을 텐데 건강해 보이네."

"일은 아들에게 양보하고 은퇴 생활을 하고 있지만, 주인님의 요망으로 이렇게 인사를 드리러 왔습니다."

미란다 씨가 곤란한 표정을 지었다.

"……아버님답다고 해야 할까. 당신에게 불평해봤자 별수 없으니까, 이야기를 들어볼게."

보옥에서 7대의 목소리가 들렸다.

『……설마, 고모님을 모시던 애송이인가? 꽤나 자랐…… 아니, 늙었군.』

7대도 아는 인물인 모양이다.

미란다 씨의 증조할머니를 아는 노인은 내가 내려온 것을 알아채자 몸을 돌려 인사했다.

내 얼굴을 아는 모양이다.

"라이엘 월트 공이시군요. 저는 예전에 사크라이 가에서 집사로 일하던 【레날도】라고 합니다. 오늘은 주인님의 전언을 가져왔습니다."

적의가 없는 웃음이기는 하지만, 묘하게 방심할 수 없는 무언가가 느껴진다.

5대가 내게 말을 걸었다.

『집사라. 꽤 실력 있어 보이는 녀석이잖아.』

7대는 웃었다.

『제가 알던 시절에는 애송이였습니다. 고모님의 뒤에서 긴장하던 모습을 기억하고 있죠. 그 애송이가 집사가 되었다니 놀랍군요.』

지인을 봐서 그리운 듯한 7대와는 달리, 5대는 어딘가 경계하는 분위기다.

방심할 수 없다고 판단한 걸지도 모른다.

내가 다가가자, 미란다 씨가 어깨를 으쓱하며 곤란한 듯 웃었다.

"내가 어린 시절에 신세를 졌어. 샤논은 기억할지 모르겠지만."

"……미안해요. 기억나지 않아요."

샤논은 미란다 씨 뒤에 숨었다. 레날도 씨를 보고 무서워하는 것 같다. 기억에 없는 건, 당시에 샤논이 어렸기 때문이겠지.

레날도 씨는 샤논을 기억하는 모양이다.

"어라, 샤논 아가씨는…… 혹시 눈이 보이게 되셨습니까?"

눈이 보이지 않았기에 사크라이 가에서 쫓겨났던 샤논이다. 전직 집사라면 그런 사정을 당연히 알고 있겠지.

미란다 씨가 수긍했다.

"맞아. 아람사스에서 치료했어."

거짓말은 하지 않았지만, 모든 걸 말할 생각은 없어 보인다. 애초에 어째서 눈이 보이게 되었는지 모르기에 설명할 도리가 없다.

레날도 씨는 미소를 지었다.

"그거 다행이군요. 주인님도 기뻐하실 겁니다."

악의는 없어 보이지만, 본심 같지도 않았다.

미란다 씨가 한마디로 부정했다.

"거짓말이네. 아버님은 기뻐하지 않아. 그보다도 레날도, 전언은?"

"그렇게 말씀하시는 모습도 똑 닮았군요."

미란다 씨의 대답을 들은 레날도 씨는 기뻐 보였다.

"……정말로 증조할머님을 닮아가시는군요. 그 모습, 성격도 거의 똑같습니다."

"칭찬이라고 생각할게."

미란다 씨의 대답에 만족한 듯한 레날도 씨는 나를 바라보더니 진지한 표정을 지었다.

진지함 그 자체다.

"라이엘 공. 주인님— 저의 주인이신 사크라이 가 당주【랄프 사크라이】님의 전언입니다. 딸을 데리고 저택에 얼굴을 내밀라고 말씀하시더군요."

그 말에 짜증을 낸 것은 7대였다.

조금 전까지는 포근한 분위기였는데, 갑자기 짜증을 내기 시작했다.

『라이엘을 불러낸다고. 이 애송이…… 게다가 당주 애송이도 기어오르기는. 대체 누구를 상대하는 거라 생각하는 거냐!』

7대의 마음속에서 나는 아직 백작가의 후계자일 테니까.

그러나 지금은 일개 모험가에 지나지 않는다.

3대가 어이없다는 목소리로 말했다.

『뭐, 이 경우에는 불러낼 수밖에 없잖아. 왜냐하면 라이엘은 작위도 없거니와 귀족이 경계할 만한 실력도 없으니까. 애초에 불러서 만나러 가는 거였잖아? 화내봤자 별수 없어.』

반박하지 못하고 분통해하는 7대의 목소리를 들으면서, 나는 대답했다.

"찾아가도록 하죠. 내일이라도?"

레날도 씨는 고개를 끄덕였다.

"네. 내일 오후 세 시에. 그럼 실례하겠습니다."

레날도 씨는 그것만 말하고는 인사하고 떠나갔다. 방 밖에서 대기하던 몇 명이 뒤따랐다.

"우리를 감시하던 건 저 사람들인가."

내 중얼거림을 들은 미란다 씨가 반응했다.

"눈치채고 있었어? 뭐, 저런 가문이야. 저 레날도 저런 표정이긴 하지만, 현역 시절에는 굉장했대. 은퇴라는 것도 거짓말이겠지. 후진 양성이라도 하고 있지 않을까?"

미행이나 감시하는 모습을 보건대, 참 숙련돼 버린다.

거친 일에 익숙한 고용인을 거느리고 있다면, 사크라이 가도 방심할 수 없다.

그렇게 생각하고 있는데, 미란다 씨가 웃더니—.

"참고로, 거친 일이 특기인 사람들을 단련한 건 내 증조할머니고— 월트 가에서 시집온 사람이야."

"⋯⋯네?"

무심코 미란다 씨의 얼굴을 빤히 바라보고 말았다. 믿을 수가 없다.

그건 보옥 안도 마찬가지여서, 5대도 당황했다.

『거짓말이지?』

개중에서 가장 동요한 것은, 여동생이라서 귀여워하던 6대였다.

『서, 설마 그런. 그 귀엽고 다정한 미레이아가 저런 위험한 녀석들을 길러내다니⋯⋯ 마, 말도 안 됩니다!』

이런 위험한 집단과 월트 가가 관련이 있다는 말을 들으면 아무래도 미안한 마음이 든다.

7대가 나지막하게 중얼거렸다.

『그 고모님이라면 저 정도는 하겠지.』

―사크라이 가 저택.

레날도에게 보고를 받은 랄프 사크라이는 집무실에서 랜턴 불빛을 의지하여 서류 작업을 하고 있었다.

반세임 왕국에서 중요한 지위에 있는 사크라이 가에는 긴 역사와 명문의 자부심이 있다. 그 모습은 당당했지만, 어딘가 감정이 빠져나간 것처럼 보이기도 했다.

"……미란다와 월트 가의 인물에게는 전했나."

레날도는 자세를 바르게 잡았다.

"네. 꽤 믿음직한 청년 같더군요. 그리고 샤논 아가씨의 눈을 치료했는지, 완치되어 있었습니다."

랄프는 무표정하게 대답했다.

"그런 건 아무래도 좋아. 중요한 건 미란다다."

랄프는 마음속으로 한숨을 내쉬었다.

'도리스 녀석이 쓸데없는 벌레에게 홀리지만 않았다면, 미란다를 불러들일 필요는 없었을 것을.'

사크라이 가의 사정.

차녀인 【도리스 사크라이】에게 연인이 생겼다.

생기고 말았다.

그 상대가 바로―

"정말이지 월트 가는 민폐스러운 일족이군. 왕도의 현재 상황도 그렇지만, 미란다에 이어서 도리스까지 홀릴 줄이야."

또 하나의 월트 가.

그 후계자인 【리오넬 월트】다.

후계자라고 해도, 궁정 귀족의 말석에 가까스로 이름을 올리고 있는 정도의 가문이다.

생활상은 귀족과는 동떨어졌고, 왕가에서 뭔가 관직을 받은 것도 아니다. 자그마한, 쓸모없는 가문의 후계자 아들이다.

레날도에게 시선을 돌린 랄프가 확인했다.

"미란다의 낌새는 어떠냐? 그건 외견도 반반하니까. 과거에 다소 뭔가 있다고 해도 사위를 들이는 데는 문제가 없겠지?"

사크라이 가는 3자매 말고는 아이가 없다.

누군가가 데릴사위를 들여서 가문을 이어야만 한다.

그걸 고려하면 도리스의 연인인 리오넬은 어울리지 않았다.

랄프가 미란다를 불러들인 이유는 데릴사위를 들이기 위해 딸이 필요해졌기 때문이다.

레날도는 자신의 감상을 남겼지만, 거기에는 적잖은 사감이 들어갔다.

"미레이아 님을 닮으셨더군요. 그 모습, 행동거지에 말투까지 하나부터 열까지 그립습니다. 숙녀로서는 충분하겠지요."

랄프는 레날도의 감상 대부분을 무시했다.

중요한 것은 데릴사위를 들일 수 있느냐는 부분이다.

"그런가. 그 아이는 우수했지. 도리스는 범인(凡人), 샤논은 논외. 역시 저택으로 불러들여야겠어."

도리스에게 리오넬이 아닌 다른 사위를 얻으라고 했지만, 본인의 강한 반대에 부딪혀서 랄프는 포기하고 있었다.

책상 위의 서류를 내려다봤다.

그것은 히포그리프 토벌대에 관한 서류였다.

지오니라는 토지에는 작은 도시가 있다. 왕도 직할지다.

영주는 없고, 왕가에서 관리를 파견하고 있다. 그렇지만 이 지오니의 조그만 마을인지 도시인지 알 수 없는 토지는— 왕가에서는 그리 중요한 곳이 아니다.

왕궁의 지시로 제작한, 지오니 구원에 관한 계획서.

그리고 책상 위에는 또 한 장, 왕궁에서 진행하는 어느 계획의 서류가 놓여있었다.

너무 많이 늘어난 궁정 귀족에 관한 문제였다.

"—뭐, 그 전에. 방해되는 존재는 사라져줘야겠군. 마침 딱 좋은 의뢰도 들어왔으니까."

랄프의 말을 들은 레날도는 조용히 눈을 감았다—.

제67화 두 개의 월트 가

사크라이 가의 저택은 컸다.

시간은 오후 세 시 조금 전.

선물을 지참하고 찾아온 나는 널따란 뜰 안에 지어진 훌륭한 저택 앞에서 발을 멈췄다.

함께 온 건 미란다 씨— 그리고 샤논이다.

모니카도 따라오겠다고 했지만, 설명하기가 귀찮아서 여관에서 대기하라고 했다.

"왠지 긴장되네요."

이건 3대 잘못이다.

『어라, 장인어른을 만나러 가는 게 무서운 거야? 괜찮아. 진지하게 따님을 제게 달라고 말하면 돼. 상대방이 거부하면 데리고 돌아오면 되니까.』

그렇게 나를 놀리더란 말이지.

본인은 맞선으로 결혼해서 이런 전개는 경험하지 못했다고 한다.

그래서 이 상황을 즐기고 있었다.

미란다 씨가 나를 보고 곤란한 표정을 지었다.

"그렇게 긴장하지 마. 기대하는 전개는 되지 않을 테니까 안심해도 돼."

어젯밤부터 여기에 오기 전까지 가정 사정을 들었다.

상황을 즐기는 3대와 달리, 분개하고 있는 건 6대다.

『궁정 귀족 따위가 웃기고 있군. 자신들의 상황으로 친딸을 멀리해놓고 이제 와서 불러내는 건 뭐 하는 짓이냐! 만약 웃기는 소리를 한다면 윌트 가의 공포를 새겨줘라. ―라이엘이 말이지!』

기억이라는 존재에 지나지 않는 역대 당주들은 내게 조언은 가능해도 직접 뭔가 할 수는 없다.

아무리 강해도 손댈 수가 없는 거다.

그나저나, 정말로 궁정 귀족이 싫은 것 같다.

내게는 미레이아라는 사람이 시집을 간 먼 친척 가문인데…….

샤논은 미란다 씨의 옷을 잡고는 고개를 숙인 채, 조금 전부터 말을 하지 않는다.

말을 걸어도 작은 목소리로 대답할 뿐.

꽤 뿌리가 깊은 문제인 거겠지.

"샤논, 괜찮아."

"……네."

자매의 짧은 대화.

거기에는 여러 배경이나 두 사람의 마음이 있겠지만, 나는 짐작도 가지 않았다.

"그럼, 가볼까요."

우리는 저택에 들어가기 위해 걸어갔다.

응접실로 들어오자 차가 준비되어 있었다.

셋이서 기다리자, 찾아온 것은 레날도 씨와— 미란다 씨와 샤논의 아버지인 랄프 씨였다.

내가 들었던 인상과 달리, 랄프 씨는 웃고 있었다.

"미란다, 건강해 보여서 안심이구나. 샤논, 눈이 나았다더군. 나도 기쁘다."

듣기만 해서는 아버지다운 말이지만, 미란다 씨는 표정을 바꾸지 않았고, 샤논은 미란다 씨를 끌어안았다.

샤논에게는 사람의 감정을 읽는 힘이 있다.

……즉, 그런 뜻이다.

랄프 씨는 뻔뻔스럽게도 내게도 웃으며 말을 걸었다.

"그나저나 본 가문은 월트 가와도 인연이 있지. 나의 할머님도 자네의 친가와 연이 있고. 알고 있나? 어쩌면 미란다과 자네는 결혼했을지도 몰라."

아무것도 몰랐다면 다정한 사람이라 생각했겠지.

그러나 6대의 아츠는 랄프 씨를 붉게 표시하고 있다. 적의를 나타내는 색이다.

내게 적의를 가지고 있는데도 표면상으로는 웃으면서 친절하게 대응하고 있다.

2대의 탄식이 들려왔다.

『잘도 이렇게나 본심을 숨기고 웃을 수 있군. 이러니까 궁정 귀족은 믿을 수가 없어.』

방심할 수 없는 의미에서는 영주 귀족도 똑같은데 말이지.

나는 애매한 대답을 하면서도 저택 바깥에 호위로 보이는 인물들이 배치된 것을 확인했다.

덤벼들 기척은 없지만, 경계하고 있는 모양이다.

"시시한 이야기는 아무래도 좋아. 용건만 전해주지 않겠어?"

대화를 끊은 것은 미란다 씨였다.

랄프 씨는 미란다 씨에게 조금 질책하는 시선을 보내며 대답했다.

"미란다, 조금은 진정하거라. 나도 반성했다. 너희를 멀리한 것은 사과하마."

아버지와 딸의 관계에는 내가 끼어들 수 없다.

"조신하지 못해서 죄송합니다, 라고 말하면 될까? 이제 와서 수습하려는 흉내는 내지 말아줘."

랄프 씨가 살짝 고개를 늘어뜨리면서 나를 바라봤다.

"미안하군. 실은 가정 사정이 있어서 말이야. 어쩌면 들었을지도 모르지만, 나는 두 사람에게 미안한 일을 했네. 지금은 반성하고 있어."

이야기가 진행되지 않기에, 불러낸 이유를 물었다.

"저기, 오늘 용건이라는 건 뭡니까?"

랄프 씨는 자세를 바로잡았다.

진지한 표정으로 나를 바라본다.

"미란다의 편지로 자네와 딸들의 관계는 알고 있네. 부모로서, 조금 납득할 수 없는 부분도 있지만—"

대체 무슨 편지를 쓴 걸까. 미란다 씨를 바라봤지만, 그녀는 나를 바라보며 웃을 뿐이었다.

"—아무튼. 나는 자네들을 일방적으로 책망할 수는 없는 상황이지. 그러나 부모로서 미란다와…… 샤논은 저택으로 돌아와 줬으면 좋겠다고 생각하네."

나에 대해서도 이미 조사했겠지.

부모로서 보면, 다수의 여성을 거느린 남자가 딸을 홀렸다고 생각하더라도 어쩔 수 없다. 어쩔 수 없지만, 보옥 안에서는 일제히 야유가 시작됐다.

『이 녀석은 대체 무슨 소리를 하는 거야? 이제 와서 좋은 부모인 척 연기하지 말라고.』

『기대가 빗나갔네. 너한테 딸은 안 준다! 같은 말을 좀 더 해주지 않으면 재미가 없다고.』

『이제 와서 불러들이려 하다니 꿍꿍이가 있어 보이는군요.』

『……어떤 꿍꿍이가 있을까?』

『아아아아아아아아아아아아아아!! 패주고 싶다! 지금 당장 저 애송이를 패주고 싶어!』

『웃기지 말라고 하고 싶긴 합니다만, 4대의 말대로 꿍꿍이가 있어 보이는군요.』

여섯 명 모두 랄프 씨를 믿지 않았다.

뭐, 나도 믿지 않는다.

미란다 씨와 샤논이 나를 바라봤다.

"거절합니다."

『말 잘했다!』

『라이엘 멋있어! 덤으로 도발도 해줘.』

『평소에도 이렇게 당당했다면…….』

『……멋지게 말했는데.』

『뻔뻔스럽다는 말 정도는 해도 된다. 라이엘.』

『오히려 장인어른이라고 불러 주면 되지 않을까요?』

왜 내가 먼저 시비를 거는 소리를 해야 하는 거냐고.

내가 태연하게 거절하자, 랄프 씨는 조금 놀란 표정을 지었다. 이건 정말로 놀란 걸까, 아니면 연기인 걸까 판단이 가지 않는다.

"……이유를 물어도 될까?"

"두 사람을 지켜주겠다고 약속했으니까요."

"이런 말을 하기는 미안하지만, 미란다도 샤논도 여자라네. 모험가 일 같은 걸 시키고 싶지 않아. 저택에서 평범하게 행복을 누렸으면 좋겠다고 생각하는 게 부모로서 잘못된 일인가? 게다가, 자네에게는 그 밖에도 여성이 다수 있던데. 고집하는 이유가 있나?"

그런 녀석에게는 딸을 주고 싶지 않다고 말하려는 거겠지.

6대가 내게 외쳤다.

『라이엘, 말해줘라. 너의 시커먼 뱃속은 뻔히 보인다고 말해줘! 뻔뻔스러운 태도는 그만두라고 해라! 도발해서 상대를 화나게 하는 거다!』

거부한다는 뜻을 담아 보옥을 손가락으로 굴렸다.

애초에…… 도발해서 화나게 만든 뒤에는 어쩌려고?

『그야…… 격퇴해주고 즐기는 거지.』

내 마음속을 짐작한 6대의 의견에 다른 모두가 찬성했다.

분명 전원이 사악한 표정을 짓고 있을 게 분명하다.

그러나, 보옥 안에서 5대만큼은 묘하게 얌전하다.

"두 사람을 내팽개친 건 당신이잖습니까."

"반성하고 있네. 그렇기에 이렇게 자네와 이야기하고 있지. 두 사람을 풀어주지 않겠나?"

사정을 전혀 몰랐다면 마음이 움직였을지도 모른다.

나를 따라오는 것보다는 나을 거다— 그래서 반대로 내가 미란다 씨와 샤논을 설득했을지도 모른다.

"싫군요."

"……뭘 바라는 건가? 두 사람이 신세를 진 만큼의 사례는 하도록 하지. 만약 귀족으로 복귀하고 싶다면, 가능한 한 지원도 해주겠네."

7대가 내게 주의를 줬다.

『라이엘. 모험가보다는 매력적이지만 믿어서는 안 된다. 이 녀석의 지위라면 말석 정도는 얼마든지 준비할 수 있어. 가능한 한 지원하겠다는 말이야 좋지만, 처음부터 그럴 생각은 없을 거다. 게다가. 애초에— 가문으로 돌려보내고 싶은 거라면, 이건 미란다와 샤논에게 해야 하는 말이다.』

7대의 말을 듣고, 나는 랄프 씨에게 물었다.

"애초에, 제가 아니라 두 사람에게 확인해야 하지 않을까요?"

랄프 씨는 조금 슬픈 표정을 지었다.

"부끄러운 이야기지만, 두 사람은 나를 믿지를 않아서. 자네의 말이라면 두 사람도 들어주겠지. 만약 여성을 찾고 있다면 자네가 만족할 수 있는 여성을 준비해주겠네."

─화가 났다.

랄프 씨는 내가 여자를 좋아하고 절조가 없는 남자라고 생각하는 건가? 화가 치솟은 나는 6대의 말을 따르기로 했다.

너는 나를 대체 뭐라고 생각하는 거지?

"……뻔뻔스러운 태도는 그만두시지. 시커먼 속내가 뻔히 보이니까."

말을 내뱉자마자 방 바깥에서 살기가 느껴졌다.

머릿속에 보이는 사크라이 가 저택 지도에는 응접실 주변에 사람 몇 명이 배치되어 있다.

그 전원의 색이 황색에서 붉은색으로 변했다.

"대단한 태도로군. 그게 자네의 본성인가?"

"내가 아니라 두 사람이 정해야 할 일이야."

나는 두 사람에게 시선을 보냈지만, 랄프 씨의 시선은 미란다 씨만 보고 있었다.

"미란다, 돌아오너라."

미란다 씨는 살짝 웃었다.

팔짱을 끼고, 다리를 꼬았다.

아버지에게 보일 태도는 아니다. 대답은 정해져 있는 것이리라.

"유감이네. 돌아갈 생각은 없어."

샤논은 고개를 수그렸다.

2대는 살며시…… 조금은 슬픈 목소리로 중얼거렸다.

『샤논은 처음부터 안중에도 없나.』

랄프 씨는 살짝 한숨을 내쉬었다.

시선은 날카로워지고 조금 전의 웃음은 사라졌다.

목소리도 차갑게 변했다.

"유감이군. 너는 약삭빠르다고 생각했는데."

랄프 씨가 차를 향해 손을 뻗었다. 그러자 그게 모종의 신호였는지 호위들이 움직이려 했다.

5대가 말했다.

『온다. 라이엘, 긴장 풀지 마라.』

허리를 들어서 대비하려 하자, 랄프 씨 뒤에서 대기하던 레날도 씨가 지팡이로 바닥을 두드렸다.

소리가 방에 울리자, 방에 들어오려던 호위들이 움직임을 멈췄다.

랄프 씨는 차를 마시며 아무 일도 없었다는 표정을 짓고 있다.

7대가 칭찬했다.

『흐음, 역량을 올바르게 이해하고 있나. 애송이치고는 제법이군.』

랄프 씨가 행동을 일으키려던 것을 레날도 씨가 제지한 것이리라.

레날도 씨는 웃으면서 아무 일도 없었다는 듯이 말했다.

"실례했습니다. 잠시 현기증이 나서요. 이러니 나이는 먹고 싶지 않군요."

내가 자리에 앉자 레날도 씨가 대화에 참가했다.

"주인님. 또 하나의 용건도 말씀하셔야지 않겠습니까."

고용인이 손님과의 대화에 끼어드는 건 실례다.

랄프 씨가 가볍게 주의를 주자, 레날도 씨는 「실례했습니다」
라고 사과했다.

컵을 테이블에 놓은 랄프 씨가 말을 꺼냈다.

"미란다가 거부하리라는 건 알고 있었지. 하지만, 아무 실력
도 없는 모험가에게 딸을 줄 생각은 없어. 그러니, 내게 자네
의 실력을 보여주지 않겠나. 정말로 딸을 데려가기에 어울리
는지 확인하고 싶군."

조금 전까지와는 달리 명백하게 얕잡아보는 태도다.

"왕궁에 성가신 의뢰가 와서 곤란하던 참이거든. 실은 마물
이─."

이야기 내용을 보건대 모험가용 의뢰겠지.

이야기를 들으려 했는데, 응접실 문이 힘차게 열렸다.

"아버님!"

전원이 그리로 시선을 돌렸다. 샤논이 조금 놀란 표정으로
중얼거렸다.

"도리스 언니는 이런 느낌이었구나."

처음 보는 차녀의 얼굴을 빤히 보고 있었다.

미란다 씨도 갑자기 나타난 여동생의 태도에 곤혹스러워 보
였다.

랄프 씨는 화를 냈다. 아니, 어이없어했다.

"도리스, 물러가라."

사크라이 가 차녀, 도리스 씨는 미란다 씨나 샤논을 닮기는 닮았다.

역시 자매인 거겠지. 그러나 보아하니 용모는 몰라도 성격은 다른 모양이다.

"아뇨, 말할 건 말해야겠어요! 어째서 두 사람을 불러들인 거죠! 게다가 남자까지—."

가증스럽다는 시선을 보내던 도리스 씨는 내 얼굴을 보자 갑자기 놀란 표정으로 변했다.

어떻게 된 거지?

그러나 바로 고개를 흔들고는 말을 이었다.

"리오넬이 있는데, 왜 이런 남자를 저택에 들인 건가요! 데릴사위는 리오넬로 정해진 것 아닌가요!"

리오넬?

나는 미란다 씨와 샤논의 얼굴을 교대로 바라봤지만, 두 사람 모두 고개를 가로저었다.

"몰라. 뭐, 말투로 봐서는 도리스의 약혼자 아닐까? 아니면 연인이겠지."

"들은 적 없어. 애초에 데릴사위 이야기도 듣지 못했으니까."

두 사람도 모른다고 한다.

심술궂은 목소리가 보옥 안에서 들려왔다.

3대다.

『흠. 차녀의 말투로 보건대, 리오넬이라는 남자가 사위 후보. 하지만 이 타이밍에 미란다와 샤논을 불러들이려 했다는 건…… 혹시 랄프는 리오넬이라는 녀석을 사위로 인정하고 싶지 않은 걸까? 어라어라, 약점이 드러났네.』

남의 약점을 찾아내서 기뻐하고 있다.

성격이 좋다고는 입이 찢어져도 말할 수 없다.

『라이엘에게서 찢어놓으려는 이유도, 자기가 고른 사위가 뒤를 잇기를 원해서겠지. 이야~ 부모로서 어쩌니 운운하고 있지만, 가문을 위해서였잖아. 마음은 이해하지만, 우리— 아니, 라이엘과는 상관없는 이야기네!』

귀족으로서 가문을 잇는 후계자는 중요한 문제다.

그러나 우리하고는 상관없는 이야기였다.

도리스 씨가 얼굴을 새빨갛게 물들이며 랄프 씨에게 따졌다.

"후계자는 리오넬이에요! 이제 와서 미란다 언니나 샤논을 불러들여서 어쩌려는 거죠! 고용인들에게 이야기를 들었어요. 상대 남자는 모험가라고 하잖아요! 이런 남자에게 사크라이가를 잇게 할 셈인가요!"

랄프 씨는 질색하고 있었다.

"나는 인정하지 않는다. 도리스, 너도 이제 그만—"

이야기가 보이는군.

아무래도 우리를 저택에 불러낸 이유는 그 리오넬이라는 남자에게 있는 모양이다.

어떤 남자가 방 안에 뛰어들었다.

"도리스, 잠깐 기다려!"

나이는 나와 비슷한 정도 같다.

푸른 머리와 눈동자가 특징적이고— 키는 나와 비슷한 정도지만 입고 있는 옷은 나보다 고급스럽다.

그런데 어딘가…… 비싼 의상에 익숙하지 않은 것 같다. 옷에 끌려다니는 인상을 받는다.

그리고 보옥 안이 소란스러워졌다.

『……어라? 혹시 전에 만난 적이 있나?』

『그러고 보니 왕도에서 태도가 좋지 않았던 소녀의 부하 중에 있었던 것 같은데…….』

『뭐랄까…… 그때도 생각했던 거지만.』

『닮았네.』

『예전에는 복장이 좋지 않아서 눈치채지 못했지만, 확실히 닮았군요.』

『어딘가 미덥지 못한 분위기까지 닮았습니다.』

역대 당주들이 닮았다, 닮았다고 중얼거렸다.

글쎄? 대체 누구를 닮았다는 거지?

그보다, 나는 이 남자를 한 번 만났다.

아리아 씨에게 시비를 걸던 귀족 소녀가 있었는데, 그 소녀가 끌고 다니던 부하 3인조. 그중 한 명이었다는 걸 떠올렸다.

몇 달 전의 일이라서 무척 그립다.

"왠지 라이엘을 닮았네. 미덥지 못한 분위기라든가, 한심한 느낌이 똑같아."

샤논이 나를 보며 웃었다.

랄프 씨에게 따지던 도리스 씨를 어찌어찌 달래는 한심한 남자가 나와 똑같다고?

대체 무슨 농담이지? 그만둬.

떠들썩한 응접실 가운데서, 나는 샤논의 뺨을 꼬집으며 앙갚음을 했다.

우리는 저택 안뜰로 나왔다.

레날도 씨가 진정을 위해 일단 휴식을 하자고 제안했기에 바깥 공기를 마시러 온 거다.

그러나 안뜰은 묘한 분위기에 휩싸여 있었다.

왜냐하면 우리 세 사람에 더해서 도리스 씨와 리오넬이 있으니까.

다섯 명이 모인 안뜰은 화기애애하다고는 말하기 힘든 분위기였다.

미란다 씨는 그런 가운데 기지개를 켰다.

이 사람, 역시 배짱이 두둑하다니까.

"피곤하네. 그나저나 라이엘도 말을 대담하게 하더라. 조금 놀랐어."

"그, 그런가요?"

"거기서 즉답해줘서 기뻤어. 게다가 그 도발도 좋았고. 아버님의 그런 얼굴은 오랜만에 봤거든."

"……역시 화났을까요?"

"당연하지. 이제 와서 움츠러들지 말라고."

기뻐 보이는 미란다 씨와는 달리, 샤논은 불만스러운 표정이었다.

"너, 화를 부추겨서 뭘 어쩌려고 그래."

"아니, 딱히 뭔가 생각했던 건……"

왜냐하면, 보옥 안의 역대 당주들이 부추겨서 무심코 말한 거니까.

원인인 역대 당주들은 상대의 약점을 발견해서 기분이 상쾌한 모양……은 아니었다. 아무래도 나를 닮았다는 리오넬에게 관심이 있는 것 같다.

나로서는 이런 한심한 녀석과 닮았다고 생각하지 않지만.

"도리스, 진정하자. 나는 괜찮으니까."

"그래도! 데릴사위는 리오넬이야. 그런데 다른 남자를 데려온 언니나 샤논을 집에 들이다니……."

"괘, 괜찮아. 모험가 따위에 지지는 않으니까."

리오넬이라는 남자는 여성의 기분을 풀어주려고 저자세로 나왔다.

반세임 귀족은 모험가로 전락한 전 귀족을 얕보는 경향이 있다. 애초에 모험가라는 걸 얕잡아보는 존재다.

리오넬의 발언도 그런 귀족의 상식을 생각하면 당연했다.

도리스 씨의 날카로운 시선이 미란다 씨에게 향했다.

"어떻게 된 건가요, 언니! 아람사스에서 나오지 않겠다고 했잖아요!"

미란다 씨는 여동생에게 어이없어하며 대답했다.

"나는 그런 말을 한 기억이 없는데. 애초에, 불러낸 건 아버님이지 우리가 들이닥친 건 아니야."

"그럼 돌아가세요! 사크라이 가의 문제는 저랑 리오넬이 어떻게든 할 테니까."

"그래 준다면 고맙겠네. 그나저나, 인사도 하지 않았었지? 들었겠지만, 나는 미란다야. 그리고 저쪽이 막내인 샤논."

미란다 씨가 리오넬에게 자기소개를 했다.

리오넬은 뒷머리에 손을 대고는 한심하게 고개를 숙이면서 인사했다.

"그, 그게. 리오넬입니다. ─리오넬 월트요."

······뭐?

미란다 씨를 시작으로, 나와 샤논도 차마 말이 나오지 않았다.

그저 놀랄 수밖에 없었다.

들려오는 건, 역대 당주들의 목소리뿐이다.

『······거짓말이지?』

『닮을 만하네.』

『궁정 귀족 월트 가, 겠죠?』

『뭐, 그럴 가능성이 가장 높겠지.』

『그나저나 이 한심한 모습. 라이엘과 처음 만났을 때가 떠오르는군요.』

『아직 가문이 남아있을 것 같기는 했지만, 설마 만날 줄은 몰랐습니다. 세상은 참 좁군요.』

도리스 씨가 머리를 쓸어 올렸다.

승리를 뽐내는 표정이었다.

"리오넬은 그쪽 모험가와 달리 유서 깊은 가문이야. 가문의 격은 조금 낮지만, 세습 귀족이고 건국 당시부터 이어져 온 가문이라고. 그쪽 모험가하고는 격이 달라."

어쩌면 타인이거나, 사람을 착각한 게 아닌가 하는 생각도 해봤다.

그러나 도리스 씨의 말투로 봐서는 틀림없는 것 같다.

샤논이 나와 리오넬의 얼굴을 교대로 바라봤다.

"월트? 라이엘의 가문명도 월트잖아? 어, 친척?"

그 한마디에 이번에는 도리스가 놀랐다.

"……어?"

샤논으로는 상대가 되지 않는다고 생각했는지, 언니인 미란다 씨의 얼굴을 바라봤다.

"라이엘 월트. 백작가의 옛 적자야. 가문의 격으로 따지면 우리보다도 높겠지. 그보다, 먼 친척이잖아."

이번에는 내가 인사하자, 도리스 씨가 씁쓸한 표정을 지었다.

아무래도 내 태생을 짐작한 거겠지.

그건, 리오넬도 마찬가지였다.

가슴팍을 움켜쥐고는 도리스 씨 뒤에서 나를 노려본다. 미간에 주름을 잡은 표정에서는 강한 증오가 느껴졌다.

"……너. 영주 귀족 월트 가냐."

리오넬의 어두운 감정.

적의가 날아온다.

주변을 침묵이 감쌌다. 이윽고, 저택에서는 우리를 부르러 고용인이 다가왔다.

나와 리오넬이 들어온 것은 응접실이 아니라 집무실이었다.

랄프 씨가 업무를 보는 방이며, 조금 전과는 달리 차도 나오지 않았다.

의자에 앉아서 등받이에 몸을 맡긴 랄프 씨는 방으로 들어온 우리를 교대로 바라봤다.

"이쪽도 저쪽도 월트 가인가. 딸들의 취향이라는 건 닮는 법이로군."

대답하기 곤란해하는 사이, 랄프 씨가 바로 용건을 꺼냈다.

한 장의 서류가 책상 위에 올라왔다.

"조금 전에 말하려 했지만, 왕궁에서 의뢰가 왔다. 지오니라는 곳에 도시가 있는데, 그곳에 히포그리프가 나타났지. 마물을 이끌고 있어서, 왕도에서 토벌대를 낼 예정이다."

서류에는 확실히 그런 내용이 적혀있었다.

히포그리프— 독수리 머리에 말의 몸을 가지고 날개가 난 마물이다. 앞다리는 독수리 다리였다고 책에서 읽은 적이 있다.

머리도 나쁘지 않고, 성가신 마물이라 적혀있던 걸 기억한다.

"왕궁의 의뢰인가요?"

내가 묻자, 아무것도 모른다고 생각했는지 리오넬이 옆에서 끼어들었다.

"토벌대를 편성할 때는 모험가나 일반인도 모집하는 방식이 있어. 알기나 하는 거냐?"

……뭐야, 이 녀석.

말투도 열 받지만, 마지막 말은 필요 없었다.

분위기가 험악해지는 가운데, 랄프 씨가 말을 이었다.

"그런 거다. 이번에는 주로 관직이 없는 가문— 무관(無官)인 하급 귀족과 일반인 중에서 지원자를 모으기로 정해졌지."

왕도에는 궁정 귀족들이 살고 있지만, 전원이 일자리가 있는 건 아니다.

그래서 관직이 없는 무관— 즉, 무직인 가문에게는 임시로 일이 들어온다.

어째서 무관인 가문이 남아있느냐면, 뭔가 일어났을 때를 대비한 예비다.

그들은 일자리를 얻기 위해, 출세하기 위해서 이런 의뢰에 참가한다.

……내가 보기에는 당장 정규 병력을 투입해서 토벌하면 되지 않을까 싶기는 하지만.

그러나 이게 왕도의 방식이라면 내가 불평할 입장은 아니다.

"도시는 버티고 있는 건가요?"

마물에게 멸망하지는 않았는지 확인하자, 랄프 씨는 그럴 걱정은 없다며 단언했다.

"이런 경우는 많다. 마물 규모를 봐서는 아직 한 달은 버티겠지. 왕도에서는 토벌대 편성에 나섰는데…… 자네들은 이 의뢰에 참가해줘야겠어."

대체 무슨 생각인 거지?

내가 고민하는 사이, 리오넬은 내가 망설이고 있다고 생각한 모양이다.

"하겠습니다. 제가 하게 해주세요!"

랄프 씨는 고개를 끄덕였다.

"역시 도리스가 고른 남자로군. 기대하고 있네. 자, 그럼 라이엘은 어쩔 텐가?"

어째서 리오넬은 이렇게 의욕을 내는 거지?

이해하지 못하고 있는데, 역대 당주들의 목소리가 들렸다.

3대와 6대다.

『아~ 이건 그거네. 응. 라이엘은 이 마음을 모를지도 모르겠어.』

『그렇겠죠. 확실히 미덥지는 못하지만, 라이엘은 우수하니까요.』

무슨 소리를 하는 거지?

4대가 전원의 의견을 듣고 이야기를 정리하고는, 내게 결정 사항이라는 듯이 알렸다.

『라이엘. 이 의뢰는 받으세요. 뭔가 꿍꿍이가 있어 보입니다만, 그 이전에 라이엘도 경험을 해봐야 합니다.』

잘 모르겠지만, 역대 당주들의 의견이므로 무시할 수는 없다.

나를 위해서 도움이 되리라 판단한 거겠지.

"……보수는 뭐죠?"

내 말에 리오넬이 달려들었다.

"너! 그렇게나 비루한 녀석이었냐! 이 의뢰의 의미를 알기나 하는 거냐!"

의뢰의 의미? 확실히 나는 잘 모르겠지만, 혹시 리오넬은 뭔가 눈치챈 건가?

왠지 그건 좀 분한 마음이 든다.

단지, 2대가―.

『이 녀석, 뭔가 착각하는 것 아닌가?』

―그렇게 말했기에, 나는 랄프 씨와의 대화로 돌아왔다.

뭐야, 리오넬 녀석도 모르는 건가. 조금 안심했다.

"저는 모험가입니다. 보수가 없으면 움직이지 않아요."

"그렇겠지. 자네들의 규모라면 금화 열 닢은 내주겠네. 활약한다면 보수는 더 올려주지."

우리의 규모를 정확하게 파악하고 있군.

역시 왕도에 들어오고 나서부터 감시하면서 이것저것 조사한 건가.

"금화 열 닢으로는 너무 싼데요."

"명성 있는 모험가라면 거금을 냈겠지. 하지만 자네는 명성이 부족해. 실력으로 증명하고 나서 요구하는 게 어떨까."

파티의 리더로서는 이 의뢰를 거부하고 싶다. 그러나 역대 당주들은 받아들이라고 한다.

"준비도 필요하니까요. 금화 50닢은 준비해주셔야죠. 성공 보수는 별도로."

솔직히 말하면 자금에는 여유가 있다.

그러나, 싸게 부려 먹히는 건 싫다.

"대단한 자신감이군. 좋아. 성공한다면 금화 100닢을 약속하지. 단, 성공 보수뿐이다. 도중에 도망치는 건 용납되지 않아."

그대로 자세한 이야기를 들은 우리 두 사람은 방을 나왔다.

방 밖.

복도로 나오자 리오넬이 말을 걸어왔다.

그 태도는 노골적으로 나를 바보 취급하고 있었다.

"너, 뭘 모르네."

"뭐가?"

내 태도가 마음에 들지 않았는지, 아니면 내가 마음에 들지 않았는지, 리오넬의 태도는 따가웠다.

"도련님 태생은 이러니까 곤란하단 말이야. 이건 사크라이가의 후계자를 정하는 시금석이라고. 누가 사크라이 가의 차기 당주로 어울리는지를 가리는 거지."

그랬었나?

나는 흥미가 없는 이야기다.

"그렇게나 데릴사위로 들어오고 싶은 거냐?"

내가 묻자, 리오넬은 손을 움켜쥐었다.

"백작가에서 태어난 너는 몰라. 귀족으로서는 말석에다 관직도 없는 가문에 태어난 나의 생활이 어땠는지 상상도 못 할걸."

관직도 없는 말석 귀족의 생활은 무척이나 힘들다고 한다. 리오넬이 보기에는 나도 고생을 모르는 도련님 같겠지.

"나는 이 기회에 목숨을 걸었어. 방해하면 용서하지 않을 거다."

그렇게 말하며 떠나가는 리오넬의 등을 바라보던 나는 고개를 갸웃했다.

"……그렇게 중요한 건가? 현지 사람들이 더 곤란할 것 같은데."

리오넬의 기백을 이해할 수 없었다.

그러나 역대 당주들은 짐작한 모양이다.

특히 2대가 어이없어했다.

『라이엘은 순조롭달까, 기본적으로 우수하니까. 리오넬의 마음은 이해할 수 없겠지.』

4대도 동의했다.

『너무 우수하기 때문인 거겠죠. 라이엘, 혹시 생활이 힘들어지면 일하면 된다고 생각하고 있지 않습니까?』

그 자리에서 순순히 수긍하자, 5대가 곤란한 듯 말했다.

『틀린 건 아니야. 틀린 건 아니지만…… 라이엘. 세상에는 너 같은 녀석만 있는 게 아니야. 이번에는 그걸 배워라.』

나는 미란다 씨와 샤논 두 사람과 합류하기 위해 응접실로 향했다.

제68화 준비

왕도 센트럴에서 드문드문 들려오는 화제.

왕궁이 마물 토벌을 위한 부대를 편성한다는 소문이다.

상인들은 무기나 식량 등등 다양한 물자를 팔려고 바삐 움직였다.

이런 이야기에 뛰어드는 건 명성을 떨치고 싶은 모험가보다도 일이 없는 귀족이나 일반인들이다.

세습하더라도 일이 없는 가문이나 1대 한정 칭호인 기사들이 출세를 꿈꾼다. 혹은 공적을 세워서 기사가 되고 싶은 이들이 참가하는 게 왕도의 사정이었다.

아리아는 그리운 센트럴의 거리를 걷고 있었다.

아침부터 가게를 돌고 있다.

"으~음, 조금 비싸네."

점주는 일용품을 보던 아리아에게 말을 걸었다.

"아가씨, 타지에서 왔지? 왕도는 물가가 비싸거든. 아무래도 여기까지 나르는 운송비도 있으니까. 다른 곳보다 싸게 해줄 테니까 사가라고."

아리아는 점주의 말을 듣자 복잡한 표정으로 웃을 수밖에 없었다.

실제로 싸게 해줬으니 다정한 사람이겠지만……

'나는 센트럴 태생인데!'

그런데 타지에서 왔다고 생각하고 있다.

좀처럼 납득할 수 없지만, 모험가로서 듬직하게 성장한 증거이기도 했다.

옛날 같은 말괄량이 아가씨가 아니라, 실력이 겉으로도 드러날 정도의 모험가가 된 것이다.

구입한 물건을 받은 아리아는 여관으로 돌아가려 했다.

그러자, 장을 보던 주부들이 가게 앞에서 이야기를 나누는 장면을 보았다.

어떤 거리에서도 보는 광경이다.

지나가려고 했지만.

"들었어? 아무래도 토벌대는 지원자를 모집한다는 것 같아."

"우리 집 밥벌레들도 참가하라고 해야겠어."

"어머, 그러면 우리도 보내야겠네."

웃으며 이야기하는 주부들은 꽤 나이를 먹었는데, 아무래도 아들들이 있는 모양이다. 가문을 이을 수 없는 아들을 토벌대에 보내서 돈을 벌거나 출세해주기를 바란다는 이야기였다.

아리아는 가게에 나란히 놓인 상품을 보는 척하고 대화에 귀를 기울였다.

"지오니라는 작은 도시래."

"들은 적이 없네. 시골인가?"

"누가 이끄는 걸까? 지금부터 집안 남자들을 걷어차서 참가하라고 해야겠어."

주부들은 의욕을 냈지만, 어떤 이름을 듣자 태도가 급변했다.

"그 있잖아, 노마야. 그 【노마 아네트】. 여기사님이야."

"그 노마가? 출세했네."

"그럴까? 성가신 녀석을 내쫓은 거 아냐? 하아, 그럼 안 되겠네. 모처럼 출세 기회가 온 줄 알았는데."

주부들은 장을 보러 돌아갔다.

'노마? 들어본 적 없네. 뭐, 나는 이쪽 사정을 잘 모르지만.'

센트럴 출신이지만, 노마에 대한 건 아리아도 몰랐다.

그대로 떠나가려 하자.

"아가씨, 사고 싶은 물건은 정해지셨습니까?"

점주가 싱글벙글 웃으며 묻자, 아리아는 보는 척을 했다고는 말하지 못하고 적당한 물건을 사서 그 자리를 떠났다.

센트럴의 여관.

나는 방에서 혼자가 되어, 역대 당주들과 대화하기 위해 보옥으로 의식을 날렸다.

의뢰에 관해 상담하려고 했는데…….

『후계자 후보? 무슨 소리일까? 랄프는 진심으로 이렇게 후계자를 정하려고 하는 건가?』

3대가 어이없어했다.

"아니, 그래도 말이죠. 리오넬 녀석이 그렇게나 당당하게 단언했으니까 혹시나 해서요."

『아니, 절대로 그럴 일은 없어. 리오넬은 그렇게 생각하고 있을지도 모르지만, 랄프는 그런 말은 한마디도 하지 않았어. 기껏해야 그렇게 생각하도록 유도했을 뿐이야. 애초에 말이지……랄프가 원하는 후계자는 무력이 뛰어난 기사보다는 문관 기질의 아이 아닐까?』

사크라이 가의 관직을 생각하면, 확실히 무력을 자랑하는 후계자는 필요 없겠지.

"그럼, 이 의뢰의 의미는 뭘까요?"

3대는 별로 흥미가 없어 보인다.

『고작 히포그리프잖아? 깊은 의미는 없고, 정말로 어떻게 해야 할지 곤란한 걸까?』

나는 잠시 고민하다가 3대에게 물었다.

"그걸 모르겠어요. 왕국에는 기사단이 있고, 그 밖에도 병력이 있잖아요? 그럼 바로 구원을 보내면 될 뿐이라고요."

7대가 대화에 끼어들었다.

『라이엘. 세상의 일이란 올바른 것이 통하지 않을 때도 있다. 네가 하는 말은 당연히 올바르지만, 동시에 틀린 거다.』

7대는 천천히, 나도 알 수 있도록 말했다.

『어째서 관직도 없는 무관 가문이 있는지 알고 있느냐?』

"예비라고 생각하는데요."

『그래. 예비다. 하지만 예비가 계속 늘어나는 건 좋지 않다고 생각하지 않느냐?』

거기서부터 7대가 설명해준 것은, 세습할 수 있는 귀족도 늘어난다는 이야기였다. 당연히 단절된 가문도 있지만, 곤란하게도 귀족은 늘어난다.

명문 귀족의 차남이나 삼남이 독립해서 새로운 가문을 일으킨다.

기사가 전장에서 공적을 세우면 출세해서 세습할 수 있는 귀족이 되기도 한다.

줄어들기만 하는 게 아니라, 늘어나는 거다.

그러면 왕궁은 곤란해진다. 일하지도 않는 귀족들에게 연금을 줘야 하니까, 늘어나면 그것만으로도 돈이 든다.

그럼 늘리지 않으면 되지만, 그것도 안 된다. 교육을 받은, 가문을 잇지 못하는 차남이나 삼남에게 꿈도 희망도 없다면 어떻게 될까?

모험가가 된다면 그나마 낫지만, 길을 벗어나서 악행에 손을 댈 가능성도 있다.

귀족은 마법을 쓸 수 있다.

일반인이 악행을 벌이는 것보다도 피해가 늘어날 경우가 많다.

『무슨 일이건 균형이 중요하다. ―적절하게 숫자를 줄이면서도 출세 기회를 만들어줄 필요가 있지. 기사단이나 훈련된 병력을 보내는 건 돈이 드니까.』

중요한 기사나 병력을 줄이는 것보다는 일하지 않는 귀족을 줄이고 싶다는 왕궁의 꿍꿍이가 있는 모양이다.

4대가 안경을 조금 들어서 위치를 조절하며 말했다.

『적절한 전장을 고를 수 있다는 건 좋은 일이지요. 라이엘, 토벌대라는 건 이름뿐이라고 생각하세요. 그리고 조금은 주변에 눈을 돌려야 합니다. 모험가와는 다른 그들과 일하게 되면, 달리 보이는 게 있을 겁니다.』

6대도 수긍했다.

『그렇겠지. 라이엘의 주변은 모두 우수하니까. 잘못된 건 아니지만…… 알아두는 게 좋겠어.』

아직 내게는 부족한 게 많은 거겠지.

그건 그렇고—.

"그러고 보니, 이건 다른 이야기인데 여러분은 왜 궁정 귀족을 싫어하는 건가요? 아니, 이유는 알고 있지만…… 그런 것 치고는 시집을 보낸다든가, 협력도 하잖아요."

월트 가로 따지면 사크라이 가가 그 관계에 해당한다.

싫으면 어울리지 않으면 될 텐데, 태도가 또렷하지 않은 건 이해할 수 없었다.

2대부터 순서대로 사정을 입에 올렸다.

『그렇지. 어울리지 않는 게 최고다. 하지만, 그럴 수만도 없지.』

『왕궁으로서도 영주는 내버려 둘 수 없는 이들이니까.』

『싫긴 하지만, 어울리지 않는다는 선택지는 없는 겁니다.』

『어울리는 걸 거절했다가는, 자칫하면 침공을 받으니까.』

『그쪽은 그거지. 서로 주고받는 관계인 거다.』

『필요한 거다. 싫어도 어울려야만 해.』

고개를 갸웃했다.

"하지만…… 싫다면서요?"

『싫지. 정말 싫다. 화살 과녁으로 삼고 싶어!』

『그놈들을 보고 있으면 두들겨 패고 싶다니까. 아니 실은 한 번 두들겨 팼어. 그때는 후련했지!』

『슬금슬금 궁지에 몰아넣고 싶죠. 우는 얼굴을 보고 싶습니다.』

『후환 없이 싹둑 베어버릴 수 있다면…… 시체의 산이 생기지 않을까.』

『역겹기 그지없다!』

『싫다는 말로는 부족하구나. ……살의가 솟구쳐!』

상상 이상으로 싫은 것 같다. 전원이 무서운 얼굴이다.

생전에 대체 무슨 일이 있었는지는 묻지 않는 게 좋겠다.

"그런데도 친하게 지내야 하는 건가요?"

3대가 어깨를 으쓱했다.

『그렇지. 게다가 이런 말을 자주 하잖아…… 그건 그거, 이건 이거라고.』

서로 싫어하지만, 이익이 있다면 친해져야 하는 관계…… 귀족은 참 고생이네.

나는 지금 이대로가 좋은 것 같다.

그러자 2대가 살짝 손을 들었다. 기분 탓인지 부끄러워 보인다.

『그런데…… 라이엘을 빌려 가도 될까?』

주변은 뭐라 말 못 할 표정을 지었다.

『으, 응. 힘내.』

3대가 이번에는 놀리지 않고 응원까지 해줬다.

2대는 부끄러워 보인다.

『그, 그만둬! 이번에야말로 성공할 테니까! 이번에야말로, 반드시 라이엘에게 아츠 계승을 하고 나는 사라질 거니까!』

2대…… 아직 포기하지 않았나.

2대의 기억의 방.

일찍이 2대가 다스리던 영지의 광경이 펼쳐져 있고, 평온하고 정비된 마을 풍경이 보인다.

엉망진창이던 영지를 고생해서 정비한 2대에게는 이 경치가 제일인 거겠지.

마을 풍경은 그대로 2대의 반듯한 성격을 나타내주고 있었다.

그런 마을을 걸어서 향한 곳은, 활 훈련장.

훈련장이라고 해도 넓은 곳에 과녁이 몇 개 놓여있을 뿐이다.

무척 오래 사용한 과녁 앞에서, 2대가 기합을 넣고 있었다.

『좋아!』

"저기…… 또 하는 건가요?"

『너 말이야. 우리의 역할은 네게 아츠를 가르치는 거다! 저번에는 이걸로 끝이라는 느낌으로 모두와 헤어졌는데, 너와 같이 그곳으로 돌아간 내 마음을 이해하기는 하는 거냐? 정말 엄청나게 부끄러웠다고.』

확실히 미안하기는 했고, 아츠를 계승하지 못했던 건 책임감도 든다. 그러나 가능하다고 멋대로 착각한 건 역대 당주들이다.

……내 책임은 아닐 거다.

2대가 기합을 다시 넣고 아츠를 설명했다.

『3단계 아츠는 【셀렉트】다. 본래는 아츠를 사용하게 해주고 싶은 상대를 지정할 수 있도록 해주는 것이지만, 이것도 사용법을 응용하면 이렇게 되지.』

2대가 자기 활을 어딘가에서 꺼냈다.

이곳은 기억의 세계. 무기이든 뭐든 바로 불러내고, 상처를 입어도 바로 완치한다.

화살을 손에 다섯 개 꺼내고는, 그대로 하나의 과녁을 향해 발사했다.

그러자 화살은 도중에 방향을 바꿔 나란히 세워진 다른 과녁으로 날아갔다. 다섯 개의 화살은 다섯 개의 과녁 한가운데에 각각 꽂혔다.

나는 작게 박수를 보냈다.

"몇 번을 봐도 신기하네요."

『굉장하지? 원래 사용법과는 다르지만, 무척 편리하다고. 그럼…… 라이엘. 해봐라.』

활을 받았다.

2대의 활은 튼튼하고 오래 사용한 것 같아서 세월이 느껴진다.

받은 화살의 숫자는 세 개.

활을 들고 아츠를 의식했다.

마치 조준하는 곳에 표식이 떠오르고, 손을 떼면 그곳에 화살이 날아가는 것이 당연한 듯한 감각…… 그러나, 화살을 쏘자.

『어째서냐아아아아!』

2대가 양손으로 머리를 부여잡고, 화살이 노린 방향으로 날아가지 않는 걸 보며 고뇌했다.

『될 것 같았잖아! 라이엘, 너 힘을 빼고 있는 것 아니냐?』

나는 어깨를 으쓱했다.

"힘을 빼거나 그러지는 않았어요. 이거, 꽤 어렵다고요."

『정말이냐? 거짓말하는 것 아니냐?』

2대는 의심하는 모양이었지만, 근처 풀밭에서 사각사각 소리가 들려오자, 내게서 활을 빼앗고 그대로 겨눴다.

그것은 물 흐르는 듯한 움직임이어서 무심코 시선을 빼앗겼다.

풀밭에서 뛰쳐나온 것은 일각토끼였다.

—월트 가의, 특히 초대에서 3대까지가 눈엣가시로 삼던 마물이다.

『이얍!』

순간, 화살이 날아가서 심장을 꿰뚫었다.

『좋았어!』

2대가 활을 거뒀다.

"……어째서 일각토끼가 나온 걸까요?"

내가 질문하자, 2대는 애매한 대답을 했다.

『뭐, 무척 미워했으니까 그럴지도. 그보다도. 어째서 실패한 걸까. 분명 성공할 줄 알았는데.』

2대는 포기를 몰랐다.

사크라이 가 저택에서 라이엘 일행이 돌아온 날 밤.

클라라는 왕도에서 구입한 책을 10권씩 쌓아놓고 바라보고 있었다. 어느 것부터 읽어야 할지 고민했지만, 그 전에 마음에 걸리는 이야기를 같은 방의 노웸에게 던졌다.

"라이엘 씨가 사크라이 가에서 의뢰를 받아왔다고 하던데, 노웸 씨는 괜찮으신가요?"

노웸이 라이엘의 방침에 이의를 제기하는 일은 적다.

기껏해야 라이엘의 신변이 위험해질 때 반대하는 정도다.

"라이엘 님의 판단이에요. 반대하지는 않아요."

마물의 힘이나 규모를 고려해도 질 것 같지는 않다.

확실히, 이름을 알리기에는 딱 알맞은 의뢰다.

"왕도는 아람사스와는 사정이 다르다고 들었어요. 참가하는 것도 모험가보다는 귀족이나 일반인이 많다고 하던데요. 괜찮을까요?"

라이엘 일행이 경험해보지 못한 의뢰다.

동시에 왕도의 사정도 있다. 클라라는 이 의뢰를 일반적인 모험가들과 일하는 요령으로 생각하면 쓴맛을 보지 않을까 염려하고 있었다.

클라라는 아람사스에서 귀족이란 이들이 얼마나 귀찮은지를 알고 있다.

게다가 클라라에게는 신경 쓰이는 점이 있었다.

"사크라이 가에서는 미란다 씨의 동행을 인정하지 않는다고

했다던데요."

동료를 데려가지 마라.

그런 말을 듣고 납득할 모험가는 없다.

그러나, 이유가 이유다.

사크라이 가는 미란다와 샤논의 친가이므로, 두 사람을 걱정하고 있다고 볼 수도 있는 말이었기 때문이다.

노웸은 덤덤히 대답했다.

"샤논의 이름은 없었고, 라이엘 님의 말에 따르면 그쪽만의 사정이에요. 신경 쓸 필요는 없어요."

클라라도 그럴 생각이었다.

미란다는 그 이야기를 거절했고, 샤논도 데려가겠다고 선언했다.

그러나—

'노웸 씨는 사태를 판단하는 기준이 조금 이상하네요. 알고는 있었지만, 귀족이 상대라도 이런 태도인가요. 귀족이 무섭지 않은 걸까요?'

귀족 사회에서 살아왔을 텐데, 상황의 시시비비를 판단할 때는 절대적이라고 할 만큼 라이엘을 중심에 두고 생각한다.

라이엘의 태생이나 노웸과의 관계를 보면 납득할 수 있는 부분도 있다. 그러나 납득할 수 없는 부분도 동시에 있었다.

원래는 귀족일지도 모르지만, 지금의 라이엘은 일개 모험가에 지나지 않는다.

말투는 부드럽고, 분위기도 다정하다. 클라라는 노웸을 높이 평가하고 있지만, 이런 면은 아무래도 신경이 쓰였다.

'머리가 나쁜 것도 아니니까, 라이엘 씨가 이젠 귀족으로 복귀할 가능성은 낮다는 걸 알고 있을 텐데 말이죠.'

귀족을 안중에도 두지 않는 태도가 묘하게 걸린다.

클라라는 그렇게 생각하면서도, 파티의 믿음직한 마법사에게 뭔가 의견을 낼 정도는 아니라고 판단해서 쌓여있는 책 한 권을 향해 손을 뻗었다.

다음 날.

여관의 어느 방에 모인 것은 아리아와 소피아.

그리고 방을 지키던 샤논이다.

노웸과 미란다는 나갔고, 클라라는 왕도의 서점을 돈다고 해서 이 자리에 없었다.

"자, 그럼 지금부터 수업을 시작하겠습니다."

모니카가 교사를 연기하고 있었다.

나란히 앉은 세 사람 앞에서, 작은 화이트보드를 들고 있다.

그곳에는 「츤데레」라고 적혀있었다.

"오늘 공부할 것은 츤데레에 대해서입니다. 여러분, 츤데레를 너무 안일하게 하고 있지 않나요? 츤데레란 균형을 잡기가 무척이나 어렵고, 그러면서도 매혹적인—."

그런 모니카의 설명을 막은 것은 소피아였다.

조심스럽게 손을 들며 물었다.

"저기…… 모니카 씨."

"선생님입니다. 지금은 그렇게 부르세요."

"서, 선생님. 츤데레라는 게 뭔가요?"

세 사람은 모르는 단어다.

모니카는 어이없다는 표정으로 대답했다.

"좋아하는 이성에게 차가운 태도를 보이다가도, 때때로 다정한 태도를 보이는 것을 뜻해요."

아리아가 솔직한 감상을 내놓았다.

"뭐야 그게? 그냥 귀찮은 녀석 아냐?"

모니카는 이마에 손을 대고는 그대로 고개를 가로저었다.

"뭘 모르네요. 잘 들으세요. 당신들이 치킨 자식에게 보이는 태도. 그것도 츤데레로 분류된다고 생각하면 된다고요."

과자를 먹으면서 이야기를 듣던 샤논이 입 주변을 더럽히면서 웃었다.

"나는 상관없네. 왜냐하면, 나는 그 녀석을 싫어하니까."

모니카가 코웃음 쳤다.

"그 태도가 이미 츤데레인 거란다. 이 계집애야!"

"잠깐, 그게 무슨 뜻이야! 그보다도 너, 나한테만 태도가 안 좋지 않아?"

모니카는 진지한 표정으로 대답했다.

"그래서 어쩌라는 거죠? 그럼, 수업을 계속하겠습니다."

이야기를 듣던 아리아가 생각했다.

'한가해서 그만 모니카에게 말을 걸어봤는데, 뭔가 귀찮아졌네.'

세 사람은 한가했기에, 언제나처럼 영문 모를 말을 사용하는 모니카에게 설명을 요구하고 말았다.

그래서 이런 귀찮은 일이 벌어진 것이다.

모니카의 수업이 이어졌다.

"츤데레, 이건 양날의 검입니다. 한 발짝만 어긋나면 상대를 화나게 하고, 이쪽의 호의를 알아채지 못하게 되죠. 그러니까 당신들처럼 허접한 츤데레는 당장 그만둬야 해요."

소피아가 시무룩해졌다.

"허, 허접한 츤데레? 저희는 허접했던 건가요."

성실한 소피아는 진심으로 시무룩해졌지만, 샤논이 달랬다.

"신경 쓸 것 없어. 그도 그럴 게, 모니카잖아. 이 녀석, 망가졌다고."

세 사람이 보더라도, 주인인 라이엘을 치킨 자식이라 부르는 모니카는 망가졌다고 생각할 수밖에 없었다.

그래도 나쁜 녀석은 아니라서 이렇게 친하게 지내고 있지만……

"남을 망가졌다고 하다니 실례네요. 좋아요. 이 모니카가 진짜 츤데레를 보여드리죠. 어라, 마침 치킨 자식이 방에 올 것 같네요."

복도에서 발소리가 들렸다.

모니카는 그 소리를 듣고 누가 왔는지 알아챈 모양이다.

츤데레라고 적힌 화이트보드를 잽싸게 정리했는데, 마치 메이드복과 앞치마 사이로 빨려 들어간 것처럼 보였다.

어떤 것이든 그 틈새에 수납되는 것 같아서, 세 사람은 언제나 신기했다.

모니카라는 존재 자체가 너무나도 신기하기에 아무도 물어보지 않지만, 메이드복과 앞치마 사이가 대체 어떻게 되어있는지 궁금했다.

노크 소리가 들리자, 모니카가 대답했다.

들어온 것은 라이엘이다.

"어라? 다들 모여서 뭐해?"

아리아가 어깨를 으쓱했다.

"한가해서 놀고 있었어. 그보다도 뭔가 용건 있어?"

말이야 이렇지만, 실제로는 여관에서 짐을 지키는 것과 샤논의 호위를 맡고 있다.

사크라이 가 사람이 샤논을 되찾으러 올지도 모르니까. 미란다라면 도망칠 수 있지만, 샤논은 불안했다.

"식량을 사러 갈까 해서."

고개를 갸웃한 것은 소피아였다.

"식사는 나온다고 들었는데요? 게다가 비상식 같은 건 노웸 씨와 미란다 씨가 수배한다고 했고요."

라이엘은 목에 걸린 보옥을 쥐었다.

"……뭐, 예비라고 해야 하나? 모니카 좀 빌려 갈게."

이럴 때 데려갈 인원은 모니카다.

그러나 모니카는 츤데레를 시연하고자 금발 트윈테일을 걸어 올리고는 평소와 다른 태도를 보였다.

"어라, 이 모니카를 지명하신 건가요? 거절하도록 하죠. 뭐, 꼭 같이 가고 싶다면—."

거기까지 말하자, 라이엘은 바로 물러났다.

"싫어? 그럼 소피아 씨, 부탁합니다."

소피아가 고개를 끄덕이며 일어나려 하자, 모니카가 라이엘의 다리에 달라붙었다.

"잠깐만요! 기다려주세요! 거짓말이에요, 거짓말이니까! 치킨 자식과 장 보러 가고 싶어요! 두고 가지 말아요!"

"귀찮은 녀석이네."

울음을 터뜨린 모니카를 본 라이엘은 질색했지만, 소피아에게 사과하고 모니카에게 말을 걸었다.

"가고 싶으면 처음부터 그렇게 말하라고."

"그게 아니고요. 치킨 자식의 관심을 끌고 싶었을 뿐이라고요."

그러면서 우는 모니카가 어이없었지만, 라이엘은 손을 잡아서 일으켜 세웠다. 어쩔 수 없는 녀석이라고 말하면서도, 라이엘은 웃었다.

"먼저 로비에서 기다릴 테니까, 준비되면 내려오라고."

라이엘은 방에서 나갔다.

모니카는 라이엘이 없어지자 세 사람을 돌아봤다.

"봤나요? 이게 츤데레에요. 이크, 이런 심심풀이에 시간을 너무 들였네요. 치킨 자식에게 서둘러 가봐야겠어요. 그럼 여러분, 안녕히 계시길~."

모니카는 서둘러서 라이엘을 쫓아갔다.

세 사람은 아연실색했다.

소피아가 입을 열었다.

"저게 츤데레인가요. 뭐랄까…… 항상 해오던 대화로밖에 들리지 않았는데요."

샤논은 신경 쓰는 기색이 없었다.

"신경 써봤자 소용없지 않을까?"

그런 가운데, 아리아만 고민에 잠겼다.

'……어라? 대체 어느 쪽이 츤데레였지?'

울면서 달라붙은 모니카보다도, 내팽개친 뒤에 마지못한 태도를 보이면서도 마지막에는 다정했던 라이엘이 더 츤데레이지 않았을까?

그런 의문이 입 밖에 나왔고, 세 사람은 그대로 츤데레에 관해 깊이, 세 사람에게는 깊었지만 다른 사람이 보기에는 아무래도 좋을 얕은 대화를 흥겹게 나눴다.

도출된 결론은 「츤데레란 심오하다」라는, 본인들 말고는 알 수 없는 해답이었고, 세 사람은 돌아온 클라라에게 뜨겁게 열변을 통했다.

가장 손해를 본 건 뜬금없이 그런 말을 들은 클라라였으리라—.

장을 보기 위해 모니카를 데리고 나온 나는 양손 가득 들린 짐을 봤다.

채소나 과일 말고는 치즈 등을 이것저것 구입했다.

이렇게 대량으로 구입해도, 인선을 고려하면 여유롭다고 볼수 없다.

몸을 돌리자, 모니카는 나무 상자가 봉지에 든 짐을 안고 있었다.

주변에서 보면 남자가 가벼운 짐을 들고 여성에게 무거운 짐을 들게 한 것처럼 보이리라.

실제로 그러니까 곤란하다.

"일단 이걸로 식사 쪽은 괜찮으려나?"

모니카는 대량의 짐을 들면서 대답했다.

"안심하세요. 치킨 자식의 식사만큼은 오기로라도 확보할 테니까요. 현지 조달도 이 모니카에게 맡겨주시죠."

이 녀석 정말 뭐든지 가능하네.

그러나—.

"현지 조달을 하고 싶지 않으니까 사들이고 있는 거잖아. 그보다, 그 대답은 부족하다는 의미 아냐?"

"뭐, 까놓고 말해서 예정 기간을 고려하면 불안하네요. 애초에 언제까지 현지에 머무르게 될지도 잘 모르고요."

식량을 모으자는 건 역대 당주들의 제안이었다.

현지 조달. 모니카는 야생동물이나 산나물 등을 모으자는 의미로 말한 것이지만, 이번 파견에서 현지 조달 장소는— 지오니다.

도시를 지키기 위해 파견된 토벌대가 식량이 없다며 도시에서 약탈을 벌일 수도 있다.

그런 상황을 피하기 위한 식량 모으기다.

게다가, 7대의 아츠라면 식품을 신선하게 보존할 수도 있다.

정말로 편리한 아츠다.

인적이 드문 뒷골목이라도 들어가서 손에 든 식량을 풀어놓기 위해 걸어가던 중— 어디서 들어본 목소리가 났다.

"아~ 최악이야."

주저앉은 여성— 엘프는, 어딘가에서 봤나 해서 살펴보니 에바 씨였다.

다른 도시에서 만난 적이 있던 그녀와의 재회는 좁은 골목에서 꾀죄죄하게 주저앉은 모습…… 감동의 재회라고는 말하기 힘들었다.

"고마워, 라이엘!"

에바는 감사를 표하면서 식사를 이어갔다.

식당 테이블 위에는 이보다 더할 수 없을 만큼 많은 요리가 놓였다. 그것들을 차례차례 해치우고 있는 걸 보니, 에바 씨는 배가 고팠던 모양이다.

그녀— 에바 씨는 고향 숲을 뛰쳐나와 예술인으로 생활하는 엘프다. 한곳에 소속되지 않고 혼자 행동하는 별난 사람이기도 하다.

엘프는 숲에서 살아가는 수렵 민족인 동시에 호기심이 강해서, 숲을 나와 예술인 극단에 소속되어 생활하는 엘프도 많다.

노래나 이야기를 좋아해서, 예술인이라면 엘프라는 인상이 있을 정도다.

나와는 예전에 미궁 토벌 때 만났다. 그때는 우리 텐트에서 신세를 지는 대신 노래를 들려줬었다.

노래나 이야기를 별로 듣지 않는 나도 즐길 수 있었으니까, 능숙한 거겠지.

노래를 위해 소재를 찾아서 온 나라를 여행하는 행동력 넘치는 사람이다. 표정이 획획 달라지는 것이, 희로애락이 확실하다.

미궁 토벌 때는 내게 협력해주었다.

그런 에바 씨가 지금 눈앞에서 맛있게 요리를 우걱우걱 먹어치우고 있다.

모니카가 내 옆에 앉아서 어이없어했다.

"엘프의 이미지를 파괴하는 이 여자는 누군가요? 엘프란 좀 더 판타지스러운 생물이라고 생각했는데, 우걱우걱 먹다니."

이 녀석, 엘프에 대체 무슨 이미지를 가지고 있었던 거야?

에바 씨가 반론했다.

"그야 스테이지에 올라가면 꿈이든 환상이든 팔아치우지. 하지만, 그것만으로는 배가 부르지 않는다고! 라이엘, 또 시켜도 돼?"

달콤한 목소리로 추가를 부탁하는 걸 듣고 살펴보자, 테이블 위에 그렇게나 많았던 요리를 이미 다 먹어치운 뒤였다.

대체 얼마나 먹는 거야?

추가 주문을 부탁하고, 요리가 올 때까지 이야기를 듣기로
했다.

　"그런데 왜 왕도에? 전에는 서쪽을 돈다고 하지 않았었나요?"

　"돌았어. 그래서 다음에는 왕도로 가볼까 했는데, 운 나쁘
게 함께 움직일 극단을 찾을 수가 없었거든. 혼자서 들어오니
까 돈이 다 떨어졌지 뭐야."

　듣자 하니, 규모가 커다란 마을이나 도시에서는 예술 공연
을 할 장소를 얻기 위해서 서로 쟁탈전을 벌인다고 한다. 사람
이 많은 곳에서 예술 공연을 하는 건 누구나 바라는 일이니
까. 갑자기 들어와서 예술 공연을 하는 건 어려운 모양이었다.

　"멋대로 노래를 부르면 자릿세 같은 돈을 이것저것 뜯기니
까, 왕도는 참 싫은 곳이야."

　모니카가 고개를 갸웃했다.

　"엘프가 노래나 예술을 공연하는 예술인인가요. 뭐, 이런
커다란 도시에서는 그런 예술인 관련 규정 같은 것도 있을 테
니까, 당신 잘못 아닌가요? 높은 사람에게 말해야죠."

　에바 씨는 반론하지 못했다.

　모니카는 말을 이었다.

　"그나저나, 꿈을 파는 장사인가요. 그것 말고는 현실적이고
각박하네요. 좀 더 환상적인 생물을 목표로 삼으라고요."

　"왜 엘프에게 이상한 환상을 품는 건데."

　"엘프는 좀 더 환상적이고, 마법적이고, 고귀하고, 고압적이
고, 그리고 연약하다는 이미지가 있었거든요."

"숲속이나 여행을 하며 살아가는데 연약해서 어쩔 거야! 말해두는데, 엘프는 수렵 민족이거든! 마법도 사용하지만 신체능력도 중요해! 그리고 고압적이라니 뭐야! 시비라면 받아줄게!"

"성미가 급한 엘프네요. 좀 더 지적인 생물이라고 생각했는데 유감이에요."

"너 뭐야? 엘프에게 뭘 요구하는 건데?"

요리가 나오자 에바 씨는 식사를 재개했다.

나는 에바 씨에게 앞으로의 예정을 물었다.

"그럼, 지금부터 높은 사람과 이야기를 해서 어딘가에서 노래를 할 생각인가요?"

"그것도 생각해봤는데, 결국 자릿세를 낼 수 없으니까 돈을 벌어야지."

"빌려드릴까요?"

"으~음. 매력적이지만 사양할게. 그건 자력으로 어떻게든 하고 싶어."

그런 에바 씨에게 감탄하고 있는데, 모니카가 키득키득 웃었다.

"배가 고파서 길거리에 나앉고, 치킨 자식에게 대접까지 받아놓고 자력으로 노력해보겠다? 엘프의 개그 센스는 일류네요. 코미디언을 목표로 해보시죠."

아무리 생각해도 바보 취급하는 것으로밖에 들리지 않아서, 에바 씨는 눈썹을 꿈틀꿈틀 떨었다.

"제, 제대로 대가는 지불할 거야. 새로운 소재도 들어왔으니까, 노래를 불러도 괜찮고."

모니카는 코웃음을 쳤다.

"그건 됐어요. 아무래도 자신감이 대단해 보이는데…… 저희는 별로 시간이 없으니까 사양할게요. 정말이지, 치킨 자식과 단둘이서 보내는 시간을 이런 먹보 엘프에게 빼앗기다니."

"너, 그만 좀 해. ……죄송해요. 이 녀석 망가졌거든요."

사과하자, 에바 씨는 신경이 쓰였는지 모니카를 바라봤다.

"망가졌어? 뭔데, 머리라도 부딪친 거야?"

"아, 아뇨……. 뭐, 이 녀석 고대 유산 같은 물건이라서요. 오토마톤이라는 자동인형이라고 해야 할까."

설명하자, 에바 씨의 눈동자가 반짝이기 시작했다.

아, 큰일 났다. 그렇게 생각했지만 때는 이미 늦었다.

"뭐야 그거, 신경 쓰이네! 저기, 이야기 좀 들려줘. 뭐든지 할게. 뭐든지 할 테니까!"

에바 씨는 흥미진진하게 몸을 내밀었다.

"지금은 좀 바빠서…… 다음 기회에 해요."

"바빠?"

"네. 실은 토벌대에 참가하게 되어서요."

나와 모니카…… 그리고 에바 씨는 여관으로 돌아왔다.

"히포그리프 토벌대에 참가할 거니까 잘 부탁해!"

로비에 있던 노웸과 미란다 씨가 각자 다른 반응을 보였다.

"오랜만이네요, 에바 씨."

"엘프라니…… 도움이 될까?"

"오랜만이야, 노엘! 그리고, 옆에 있는 무례한 여자. 나는 이래 봬도 예술인 극단에 있었거든. 여행에는 익숙하고, 마법도 활도 쓸 수 있어. 방해되지는 않을 거야."

미란다 씨와 에바 씨는 왠지 그대로 말다툼을 시작했다.

노엘이 내 곁으로 다가왔다.

"라이엘 님. 에바 씨를 참가시키실 건가요?"

"응. 식사를 대접해준 답례라네. 그리고 소재를 얻고 싶고, 아람사스에서 무슨 일이 있었는지도 듣고 싶으니까 동행하려나 봐."

호기심이 왕성한 엘프는 소재, 아니 화제를 찾아서 무모한 짓도 한다.

내버려 둬도 따라올 테니까, 그렇다면 같이 행동하는 게 안전하다.

"엘프는 튼튼하니까요. 함께해주시면 고맙죠."

"그러게."

미란다 씨와는 성격이 맞지 않는지, 에바 씨는 여전히 말다툼을 이어가고 있었다.

"장난으로 따라오는 거면 곤란해."

"장난이라고?! 나는 진지해! 진지하게 새로운 소재가 필요하다고!"

"……정말이지 엘프는 귀찮네."

"무슨 뜻이야!"

친하게 지냈으면 좋겠지만, 두 사람 모두 첫인상은 최악인 것 같다.

이 멤버로 히포그리프 토벌대에 참가하게 될 텐데…… 괜찮을까?

제69화 히포그리프 토벌대

사크라이 가 저택에 있는 창고.

리오넬은 지인을 모았다.

똑같은 무직 귀족들. 그리고 가문을 잇지 못하는 차남이나 삼남들이다.

"모여달라고 해서 미안하네. 실은 이번 토벌대에는 나의 미래가 걸려있어."

리오넬은 진지하게 사크라이 가의 데릴사위를 노리고 있다.

우연히 헌팅에 성공한 상대가 자작가의 딸— 도리스였다.

듣자 하니 장녀와 삼녀는 집을 나갔고, 남은 자식은 차녀인 도리스뿐.

이대로 가면 자작가의 후계자도 꿈은 아니다.

"참가하려고 해도 가진 병력이 없으면 힘드니까. 어때? 내 부하로 참가하지 않겠어?"

이곳에 모인 다섯 명은 불만스러워 보였다.

"왜 우리가 네 부하인데?"

옛날부터 알고 지내던 상대지만, 리오넬은 리더가 아니었다. 그래서 여기 모인 그들은 불만이었다.

"그런 소리를 해도 되겠어? 내가 사크라이 가의 데릴사위가 되면 너희도 일을 얻을 수 있다고. 게다가, 이번 토벌대에서 활약하면 출세도 가능해."

리오넬은 그렇게 말하며 도리스가 준비해준 무구를 보여줬다.

전신 갑옷은 아니지만, 그래도 제대로 통일된 방어구.

검도 창도 신품이었다.

"굉장해."

"이거, 받아도 되냐!"

"이게 있으면 나도……."

리오넬도 그렇지만, 그들에게는 돈이 없다. 무구를 마련할 수 없으므로 밖에 나가서 마물과 싸울 수 없다.

토벌대에 참가하고 싶어도 무기가 없는 사람은 쫓겨날 뿐이다.

그렇기에 제대로 된 무구를 앞에 둔 그들은 안색이 변했다.

이것만 있으면 자신도 출세할 수 있을 것 같았으니까.

리오넬은 내심 음흉하게 웃었다.

'무구를 떡밥 삼아서 이 녀석들을 부려 먹어주겠어.'

"바보. 빌려주는 거야. 하지만, 활약한다면 그대로 보수로 줄 수도 있지. 내가 후계자가 될 수 있도록 노력해줘."

무구는 리오넬의 것과는 별도로 10인분이 준비되어 있었다.

"이봐, 내 지인을 불러도 될까?"

"당연하지. 적어도 열 명은 모이지 않으면 체면이 서지 않으니까."

이번 토벌대는 여기저기서 긁어모은 오합지졸이다. 그런 오합지졸 토벌대에서 협력할 수 있는 건 자신이 모은 동료들이다. 다른 건 믿을 수 있을지 알 수 없고, 공적을 다투는 라이

벌이기도 하다.

'열 명이나 모이면 상당한 숫자야. 토벌대 대장이 누구일지는 모르지만 나를 무시할 수 있을 리 없지. 도리스도 지원해줄 거고, 여기서 활약한다면…… 분가인 그 녀석에게 질 일도 없어.'

분가의 그 녀석. 라이엘을 말한다.

궁정 귀족 월트 가 입장에서 영주 귀족 월트 가는 분가 취급이었다.

리오넬은 항상 생각해왔다.

'같은 월트 가인데도 나는 가난하고, 그 녀석은 부자…… 이런 건 불합리하잖아.'

라이엘과의 대우 차이도 아니꼽다.

게다가, 라이엘은 후계자의 자질이 없다며 폐적되어 가문에서 쫓겨났다고 한다.

'그런 녀석보다는 내가 훨씬 나아. 반드시 자작가의 사위가 되어 그 녀석에게 본때를 보여주겠어.'

리오넬은 라이엘에게 대항심을 불태웠다.

히포그리프 토벌대 결성식.

왕도에 있는 술집 하나를 대절해서 하게 되었는데, 참가한 나는 빠르게도 돌아가고 싶었다.

출발이 며칠 뒤인데도, 여기 모인 사람들의 모습은 심각했다.

연설대 위에 선 것은 토벌대를 이끄는 기사.

십기장(十騎長)인 【노마 아네트】다.

드센 얼굴을 가진 여성 기사는 여기 있는 이들을 바라보더니 찌푸린 표정을 숨기지도 않았다.

　나이는 20대 중반이나 전반으로 보인다.

　곁에 있는 중년의 남성 기사 【모리스 애셔】가 타일렀다.

　"대장님. 여기서는 냉정하게 인사를……."

　"모리스, 너는 나보고 이런 건달들을 이끌고 싸우라고 하는 거냐? 나는 반세임 왕국의 십기장이다! 기사를 모으라고는 하지 않겠지만, 왜 훈련된 병사를 모으지 않은 거냐?"

　"아니, 그게, 저한테 그런 말씀을 하셔도……."

　"그러니까 만년 평기사인 거다. 모처럼 부대장으로 선발했으니 성실하게 일해라."

　통통하고 몸집이 작은, 수염을 조금 기른 40대 정도로 보이는 모리스 씨는 여성 기사— 자기보다도 훨씬 젊은 상사에게 혼나고 있었다.

　씁쓸한 광경이다.

　"죄, 죄송합니다. 하지만 저는 일단 기사장입니다만."

　"나보다 낮은 건 틀림없잖나!"

　"네, 넵!"

　모인 이들은 미리 준비된 술을 멋대로 마시고, 요리에도 손을 뻗고 있었다.

　사람은 많지만, 질서가 없고 난잡하다. 사람들의 시선은 술이나 요리, 그리고 노마 씨에게 쏠려있어서, 나는 보옥을 쥐고 역대 당주들과 이야기를 나눴다.

"왠지 미덥지 못하네요."

대답한 것은 5대다.

『십기장이라. 내 시대와 같다면 왕국 기준으로 소부대의 중대장 클래스일 텐데.』

2대가 모여든 이들을 냉정하게 살폈다.

『저 여기사의 부하는 미덥지 못한 기사장과 기사 열 명 정도인가? 나머지는 아무리 봐도 오합지졸로밖에 안 보이는데. 상상 이상으로 심각하군.』

6대도 너무나도 심각한 모습에 웃음을 터뜨렸다.

『이거 심하군요. 이 녀석들이 도시를 지킬 수 있을까요?』

숫자만큼은 꽤 많다.

참가자 가운데 가장 많은 동료를 모은 것은 리오넬이었다.

나를 보며 승리를 뽐내는 표정을 지었다.

"아무리 봐도 약해 보이는 토벌대네요."

4대가 웃었다.

『라이엘. 세상은 이런 법입니다. 애초에 우수했다면 벌써 출세해서 일을 찾았겠죠.』

3대는 4대와 의견이 달랐다.

『이만큼 모였으면 개중에는 우수한 아이도 있어. 그나저나 이 인원…… 왠지 숫자만 맞췄다는 생각밖에 안 드는데.』

최저한의 무구를 소지하는 것이 토벌대 참가의 조건이다.

단지, 이번에는 조건에 맞지 않더라도 후방 지원이라는 명목으로 희망자 전원을 데려가려는 모양이다. 이 술집에 있는 건 정규 병사로 인정받은 이들로, 100명 전후다.

숫자만 보면 상당한 규모다.

2대가 뭔가 눈치챈 모양이다.

『……이 토벌대는 꿍꿍이가 있을지도 모르겠어.』

"꿍꿍이요?"

『라이엘. 이건 놀이가 아니야. 이만한 인간을 움직이려면 상당한 지출이 필요해져. 후방 지원 인원에게도 돈을 줘야 한다는 걸 생각하면, 상당한 액수가 될 것 같지 않나?』

4대가 손익 감정을 시작했다.

『꺼림칙한 이야기지만, 그 도시는 이만한 규모를 보내서 구할 정도로 가치가 있을 것 같지는 않습니다. 좀 더 숫자를 줄이고, 신속하게 병력을 보내는 게 베스트겠죠. 평범하게 생각한다면 말입니다만.』

7대가 한숨을 내쉬었다.

『히포그리프에 대체 얼마나 많은 병력을 보내려는 건지. 꿍꿍이가 없다고 보는 게 오히려 이상할 정도군요. 제대로 된 생각은 아닙니다.』

평범하게 생각하면 잘못됐다.

상층부는 대체 무슨 생각인지에 대한 의문이 들더라도 별 수 없다.

"아슬아슬할 시간까지 사람을 모아서 뭘 할 작정인 걸까요?"

2대가 차가운 목소리로 대답했다.

『……이 녀석들. 버려진 걸지도 모르겠어.』

결성식을 마치고 여관으로 돌아오자, 로비에는 미란다 씨와 아리아 씨가 있었다.

두 사람은 뭔가 심각한 표정이었다.

"무슨 일이에요?"

"어머, 빨리 왔네. 라이엘."

돌아본 미란다 씨가 놀랐다.

아리아 씨가 뭔가 확인하려는지 내게 물었다.

"저기, 토벌대 대장은 혹시 노마 씨라는 여성 기사?"

나는 수긍했다.

"혹시 지인인가요?"

아리아 씨는 고개를 가로저었다.

"장을 보던 중에 소문을 들었는데, 그 노마라는 사람. 평판이 안 좋아. 출세를 위해서 무리하는 사람인 것 같아."

미란다 씨도 곤란한 모양이다.

"레날도에게 잠깐 이야기를 들었는데, 왕궁에서도 따돌림을 당하는 사람인 것 같아. 동료 기사들의 평판도 안 좋아 보여."

출발 전에 정보를 모아준 것 같아서 리더로서는 고마울 따름이다.

"뭐, 확실히 문제가 있어 보이는 느낌은 들더라고요."

"정말로? 그거 괜찮아?"

"……글쎄요?"

"라이엘, 정신 차려. 네가 받은 의뢰잖아."

반박할 수 없었다.

나는 역대 당주들의 존재를 주변 사람들에게 알리지 않았으니까, 아리아 씨가 보기에는 어째서 이런 의뢰를 받아들인 건지 이해하기 힘들겠지.

미란다 씨가 미안해했다.

"라이엘, 우리를 위해 무리할 건 없어. 그럴 마음만 먹으면, 우리를 데리고 센트럴을 나가기만 해도 돼. 성실하게 상대해 줄 필요는 없어."

나는 고개를 가로저었다.

"제 사정도 있으니까요. 미란다 씨나 샤논의 책임은 아니에요."

그런 대화를 하는 사이, 보옥 안의 상황이 이상했다.

3대가 투덜댔다.

『따돌림을 당하는 여성 기사. 모인 녀석들은…… 이거, 확실하지 않아? 의심할 여지가 없네.』

5대는 신경 쓰지 않았다.

『상대는 히포그리프야. 지나친 생각 아닐까?』

6대도 같은 의견인지, 평소보다는 긴장감이 빠져 보였다.

『그렇죠. 긴장감이 너무 없어서…… 뭐, 궁정 귀족 얼간이들에게는 버거운 상대겠군요!』

보옥 안에서는 그런 6대의 말을 듣자 일제히 웃음을 터뜨렸다.

이 녀석들의 궁정 귀족 혐오는 참 철저하네.

7대가 웃은 뒤에 한숨을 내쉬었다.

『하아…… 상대가 히포그리프여서는 의욕이 안 나오는군요.』

움직이는 건 나고, 애초에 그냥 봐도 성가신 상대이건만, 부족하다고 말하는 역대 당주들의 감각을 이해할 수 없었다.

—사크라이 가 저택.

집무실에서는 랄프가 레날도와 이야기를 나누고 있었다.

"미란다 설득은 실패했나."

"네. 죄송합니다. 그 젊은이에게 꽤 열중하고 계시는 것 같더군요."

랄프는 창밖을 바라봤다.

밖에서는 저택으로 들어와 2차를 시작한 리오넬 일행의 목소리가 들려온다.

랄프는 듣기 거슬린다는 듯이 인상을 찡그렸다.

"그럼 마음대로 하게 내버려 둬라. 최악의 경우 도리스만 곁에 있으면 문제없으니. 리오넬 저 애송이도 돌아올 일은 없어."

레날도가 책상 위에 시선을 돌리자, 그곳에는 진짜 의뢰서가 놓여있었다.

"도리스도 이번 일로 눈을 뜨겠지. 미란다는…… 솔직히 아깝기는 하지만."

랄프가 보더라도 미란다는 우수했다. 만약 남자로 태어났다면 후계자 문제로 고민할 일도 없었으리라 아쉬워할 정도로.

"미레이아 님을 닮으셨으니까요. 원래 소양이 있으셨겠죠."

"할머님을 닮았다면 더더욱 아깝지. 얌전히 가문을 위해 힘쓰면 될 것을……."

레날도는 랄프에게 물었다.

"주인님. 정말로 괜찮으십니까?"

"뭐가 문제냐?"

"아가씨 두 분을 사지(死地)로 보내도, 정말로 괜찮으십니까? 미레이아 님, 선대 님이나 세상을 떠나신 부인께서 이 일을 어떻게 생각하실지……."

"죽은 자는 말참견할 수 없어. 하고 싶은 말이 있다면 나와 보라고 해라. 나는 전혀 상관없다. 그래…… 죽은 자는 말참견 따위 할 수 없으니까."

랄프가 떠올린 것은 사랑하는 아내의 얼굴이었다.

'그래, 나온다면 기꺼이 맞이할 거다. 그러지 못한다면— 이제 두 번 다시 만나지 못한다면. 나는 그저 아무 생각도 하지 않고 가문을 위해 힘쓰면 될 뿐.'

귀에 거슬리는 젊은이들의 목소리를 들으며, 랄프는 차가운 눈초리를 보였다.

"이제 왕도도 조금은 깨끗해지겠지."

이번에 보내는 토벌대.

그들이 향하는 곳은 사지였다.

왕도 외벽 밖에서 모인 토벌대의 숫자는 400명 정도.

말에 탄 기사를 시작으로 짐마차 등도 포함하면 상당한 규모다.

신경 쓰이는 것은, 결성식에는 나왔는데 이 자리에는 없는 이들이다. ……아무래도 도망친 모양이다.

예전— 모험가로서 미궁 토벌을 나갔을 때와 다른 점은, 종군 상인이나 예술인 극단이 없다는 점이다.

어째서 따라오지 않는가. 그것은 대장인 노마 씨가 싫어했기 때문이다. 그래서 병사들은 불만의 목소리를 내고 있었다.

나는 우리 동료들을 바라봤다.

이 자리에 있는 건 나와 노웸, 소피아 씨와 미란다 씨뿐이다.

소피아 씨가 토벌대를 바라보며 한마디.

"이거…… 심하네요."

모험가는 모험가대로 규합되지는 않았지만, 그래도 장비 정도는 스스로 마련했다. 그런데 눈앞의 집단은 정말로 필요 최저한의 장비밖에 없다.

위에는 전신 갑옷을 입고 말에 오른 노마 씨와 기사들이 있다면, 아래는 너덜너덜한 방어구를 걸치고 녹슨 무기를 든 일반인— 싸울 수 있을 것 같지 않다.

슬슬 이동을 시작해야 할 텐데, 모이지도 않고 나불나불 떠들기만 하는 것도 평가를 떨어뜨리는 포인트다.

2대가 짜증을 냈다.

2대는 이런 걸 싫어하는 모양이다.

『누구라도 좋으니까 제대로 규합을 시키라고.』

필요 최저한의 짐을 든 우리는 그런 집단 중에서 맞춤 무구를 장비한 리오넬 일행을 발견했다.

리오넬은 노마 씨에게 말을 걸고 있었다.

"대장님. 잘 부탁드립니다!"

"……무기에 방어구를 갖췄군. 짐마차도 있고 물자도 있나. 뭐, 이중에서는 너희가 나은 편이겠어."

자신이 이끌 집단을 확인했는지, 노마 씨는 조금 기분이 좋아졌다.

일반 병사들보다도 장비가 좋아 보이는 리오넬 일행을 도움이 되리라 판단한 걸지도 모른다.

3대가 나를 가리켜 웃었다.

『어라, 분한 거야? 라이엘. 뭐, 그래도…… 어떤 수단을 썼는지는 모르겠지만 인원과 물자는 갖췄네. 리오넬도 꽤 우수한걸.』

그런 거금이 있어 보이지는 않았다고 생각하고 있는데, 옆을 보던 미란다 씨가 말했다.

"도리스가 준비해준 거야. 그래도 아버님이 그걸 허락했는지 신경 쓰이네."

장비를 준비한 것이 도리스 씨라는 걸 알고 있었던 것 같다.

그리고 동시에 노마 씨에게 뭔가를 건네는 게 보였다.

"어머, 뇌물까지 주고 있잖아."

"으엑……."

어이없어하는 내게 4대가 주의를 줬다.

『라이엘. 저런 것도 원활한 인간관계에는 필요합니다. 뭐, 뇌물을 주는 상대는 선별해야 하고, 방식도 조금 품위가 없긴 합니다만. 좀 더 장소를 가리고, 주는 물건도 고려해서…….』

4대는 저래서는 상대의 인상도 나빠질 거라는 견해를 냈지만…….

"……너, 내게 이런 물건을…… 뭘 아는 녀석이군!"

"기뻐하는 것 같은데요!"

노마 씨는 크게 기뻐하며 그 자리를 떠났다.

4대는 아연실색했다. 주변도 똑같다.

『……어, 어라아?』

자랑하는 장비를 입은 리오넬이 이리로 다가왔다.

히죽히죽 웃고 있었다.

"이야~ 대장님은 보는 눈이 있다니까. 내게는 인사하러 왔지만, 너는 돌아보지도 않고 있다고. 어쩔 수 없지. 여자들만 모여있으니까. 혹시, 장사라도 시작할 셈이냐?"

장사─ 말로는 꺼내지 않았지만, 몸을 파는 여자들을 데리고 다니는 거냐고 말하려는 거겠지.

소피아 씨가 울컥해서 반박하려 했지만, 내가 제지했다.

"맞춤 장비에 짐마차까지, 용케 모았네."

"몰락한 모험가인 너와 똑같이 취급하지 말아줬으면 하는데?"

미란다 씨가 팔짱을 끼고 리오넬에게 시선을 보냈다.

"위세 좋네. 여동생의 돈으로 마련한 장비니까 잘 간수 하라고."

그 말을 듣자, 리오넬은 반론하지 못한 채 그대로 도망치듯이 떠났다.

소피아 씨가 그 뒷모습을 보며 말했다.

"왕도에서 전에 만나긴 했지만, 무척이나⋯⋯."

내게 힐끔 시선을 보내왔기에, 하고 싶은 말이 뭔지는 알 수 있었다.

"아니, 타인이야. 본가이니 분가이니 그런 건 상관없이, 완전히 타인이지."

"네, 네에. 그렇긴 하죠."

미란다 씨가 키득키득 웃었다.

"생김새는 닮았는데 말이지. 이렇게나 다르다니 재미있네."

나는⋯⋯ 아니, 리오넬은 나를 닮은 모양이다.

그렇지 않다고 생각하고 있을 때, 농담이 아니라 꽤 무서운 표정을 지은 노웸이 대화에 끼어들었다.

"전혀 닮지 않았어요."

조금⋯⋯ 무섭다.

미란다 씨가 그런 노웸을 놀렸다.

"그래? 머리색이나 눈동자색은 닮았고, 게다가 목소리도—."

"어디가 말이죠? 라이엘 님의 머리색은 무척 아름다운 푸른색이에요. 이상한 색이 섞인 듯한 색조를 가진 저 머리색과는 달라요. 그리고 품위도 없어요. 게다가 태도도 문제예요!"

미란다 씨가 약간 기겁했다.

나는 노웸을 제지했다. 왜냐하면 「라이엘 님은 무척 근사하고—」 등등, 내 자랑 이야기를 크게 떠들기 시작했으니까.

"노웸. 스톱, 스톱해! 자, 준비나 하자고. 게다가, 이제 곧 클라라 씨네도 올 테니까."

"아뇨, 이건 말해야겠어요. 라이엘 님이 얼마나 근사하신지!"

노웸이 이렇게나 흥분한 건 드문 일이지만, 부탁이니까 큰 소리로 내 자랑을 하지 말아줬으면 좋겠다.

미란다 씨는 곤혹스러워 보였다.

그때, 소피아 씨가 중얼거렸다.

"……아, 왔어요."

소피아 씨 시선 너머에는 준비를 마친 클라라 씨 일행— 포터가 우리를 마중하러 나왔다.

주변이 웅성거리는 가운데, 포터의 천장에 올라탄 에바 씨가 손을 흔들었다.

"이거 굉장하네! 라이엘, 이거 굉장해~."

나는 출발 전부터 피곤해져서 한숨을 내쉬었다.

기본적으로 행군 속도는 빠르지 않다.

걸어서 이동하기 때문이다.

덤으로 마주치는 마물과도 전투해야 한다.

이동하는 인원이 많아서 회피할 수 없으니, 싸울 수밖에 없지만…….

"오지 마. 오지 마아아아!"

"이봐, 앞으로 나가! 앞으로 나가라고!"

"웃기지 마! 너나 가!"

……뭐야 이거, 심각하네.

출발 전에는 내가 마물을 제일 많이 잡아주겠어! 같은 대화를 하던 녀석들이 막상 전투가 벌어지자 앞다투어 도망쳤다.

이쪽은 400명.

마물은 많아봤자 열 마리도 안 된다.

지금도 고작 오크 한 마리를 앞두고 수십 명이 둘러싸고 있는데도 손도 발도 내밀지 못하고 허리를 뒤로 빼고 있다.

"아, 오는 것 같네."

말발굽 소리가 들려서 그쪽으로 시선을 돌렸다.

기사 모리스 씨가 달려와서 짊어진 노궁^{크로스보우}을 말 위에서 겨눴다.

포터의 천장에서 그 모습을 지켜보자, 뒤쪽에서 노마 씨가 꺼림칙한 표정으로 다가왔다.

노궁에서 날아간 화살은 무기를 든 오크의 팔을 꿰뚫었다.

모리스 씨가 외쳤다.

"대장님!"

"일일이 아우성치지 마라!"

노마 씨는 말 뒤에서 도약하면서 검을 뽑았다. 가느다란 양날검은 한손검치고는 조금 길다. 그걸 가볍게 다루며 오크의 머리 위로 들고는, 그대로 낙하 속도를 이용해서 내리쳤다.

떨어진 순간 검에 불꽃이 휘감기면서 베어버린 오크를 불태웠다.

그 모습을 함께 지켜보던 것은 아리아 씨와 에바 씨다.

"화려한 기술이네. 아츠일까?"

"마법 아닐까? 기사님은 저런 화려한 기술을 좋아하더라. 그래도 분위기가 달아오르니까 나는 좋아해. 불꽃을 다루는 여기사라니 두근두근하지 않아?"

"에이~ 뭐가 두근두근하다는 거야. 솔직히 모리스 씨였던가? 저 사람의 실력이 더 굉장한데."

"그건 인정하지만…… 주변은 눈치채지 못하잖아."

그 말을 듣고 주변 반응을 보니, 환성이 솟구치고 있지만 칭찬을 받는 건 노마 씨뿐이다. 모리스 씨의 화제는 나오지 않았다.

"저 여기사 굉장하네."

"저게 대장이라면 괜찮겠어."

"처음에는 노마라고 듣고 불안했는데, 저만큼 강하다면 안심이 되는데."

모리스 씨는 평가를 받지 못했지만, 본인은 개의치 않고 노마 씨에게 말을 걸고 있었다.

"훌륭하셨습니다."

"내가 상대할 것까지도 없었군. 앞으로는 너희끼리 처리해라. 자, 어서 가자."

그런 두 사람의 대화를 바라본 에바 씨는 모리스 씨를 이렇게 평가했다.

"수수하지만 일은 잘하는 타입이네. 좋은 사람이겠지만, 그래서 손해 보는 타입이야."

아리아 씨는 주변의 평가를 이해할 수 없었던 모양이다.

"왜 다들 모리스 씨를 언급하지 않는 거야? 저 사람, 아마 강하지 않을까?"

"인간은 눈에 보이고 알기 쉬운 걸 평가하는 법이야. 이야기도 똑같잖아? 수수하지만 정말로 평가를 받아야 할 사람보다도 주역— 화려한 쪽을 더 칭찬해."

오크에게서 마석을 꺼내는 모습을 지켜봤다. 모리스 씨는 절차에 따라 작업 지시를 내리고 있었다.

2대는 조금 기뻐 보였다.

『저런 기사는 중요하지.』

3대도 이야기에 끼었다.

『일을 잘하는 타입은 중요하니까. 아까의 화려한 전투도 저 모리스의 제안이 아니었을까?』

무슨 소리인지 궁금해서 보옥을 쥐자, 2대가 내게 설명해주었다.

『주변 반응을 봐라. 노마의 힘을 알게 되어서 안심했잖아. 너희의 지휘관은 강하다는 걸 가르쳐준 거다.』

지휘관이란 강해야만 하는 건가?

내 생각에는 머리가 좋고 판단력이 있는 사람이 더 나은 것 같은데.

약한 것보다 강한 게 좋다는 건 이해하지만…… 자신의 신변을 지킬 정도의 강함만 있다면 문제없을 거다.

『라이엘, 뭘 모르는구나. 주변을 봐라. 실제로 저 전투를 보고 안심했잖아. 저 녀석들에게는 정말로 유능한 녀석을 알아챌 눈이 없어.』

3대도 불만스러워 보였다.

『이러니까 귀찮단 말이야. 다루기 쉽다고 할 수도 있지만……
자, 그럼. 라이엘도 슬슬 움직여볼까? 다음 전투는 너희들만
으로 끝내봐.』

그 말을 듣고 집중하자, 머릿속에 주변 지도와— 푸른색이
나 녹색 등등의 점이 보였다.

5대와 6대의 아츠다.

무슨 영문인지, 내 주변— 파티 동료들이 아니라, 주변에 있
는 토벌대 참가자들이 내게 적의를 가지고 있다. 어째서야?

그것 말고는 노란색이 많다.

통솔되지 않고 따로따로 흩어진 집단…… 그 집단에게 접근
해서 노리고 있는 붉은 점의 모임이 보였다.

『오, 이 녀석들이 좋아 보이네. 나름대로 숫자도 있어.』

붉은 점의 숫자는 스물에는 미치지 못한다.

그러나 지금까지 마주친 마물 중에서는 제일 많다.

눈에 띄기에는 좋은 상대다.

—노마는 짜증이 났다.

행군 속도도 느리다. 무엇보다 규합이 되지 않고 있다. 덤으
로 모인 참가자가 대부분 전투 경험이 없다.

대다수는 관직이 없는 귀족이나 일반인. 무기 쥐는 법 정도
는 알고 있지만 정말로 그뿐인 집단이다. 개중에는 아무것도
못하는 녀석도 있었다.

우수한 인재도 있긴 하겠지만, 전체적으로 보면 정말로 미

덥지 못했다.

'정규 기사나 병사와 비교하면 너무나도 뒤떨어져.'

모처럼 자신이 맡게 된 임무.

성공하면 출세할 것은 틀림없겠지만, 여기 모인 어중이떠중이들에게 발목을 붙들리고 있다.

짜증이 난 나머지 눈초리도 험악해지자, 부하들도 거의 말을 걸어오지 않게 되었다.

그런 가운데, 병사가 달려왔다.

"대장님! 저, 적이……!"

"또냐! 어째서 왕도 근처에 이렇게나 마물이 많이 나오는 거냐!"

왕도 주변은 기사단이나 병사들이 마물 토벌을 하고 있을 텐데, 조금 떨어지자마자 바로 마물이 덮쳐왔다.

기분이 나빠진 노마를 앞두고 보고하러 온 병사가 곤혹스러워하자, 모리스가 대응했다.

"적은 마물이냐, 아니면 도적이냐?"

"마, 마물입니다."

"숫자는?"

"그, 그게…… 모르겠습니다. 많은 건 확실합니다."

훈련받지 않은 지원병은 보고조차 제대로 할 수 없었다. 그것이 노마의 짜증을 더욱 부풀렸다.

"너희들, 따라와라. 우리가 상대한다. 나 참, 이놈이고 저놈이고 쓸모가 없는 녀석들이야."

불평을 늘어놓으면서 이 이상의 지연은 허용할 수 없기에 직접 가려 했는데.

"저, 저기. 그게…… 괜찮을지도 모릅니다."

노마의 이마에 푸른 핏대가 떠올랐다.

전령 병사의 얼굴이 새파래졌다.

"너는…… 대체 무슨 소리를 하는 거냐!"

노마가 노성을 내질렀을 때, 조금 떨어진 곳에서 환성이 솟구쳤다.

"뭐, 뭐냐? 이봐, 가자."

말을 달려서 그곳에 도착하자, 마물과 싸우는 집단이 있었다.

많은 숫자로 포위하는 게 아니라, 자기들보다 많은 적 앞에서도 과감하게 덤벼들었다.

아니, 반대로 덮치고 있다.

모리스는 놀라면서도, 명부를 보고 정체를 확인했다.

"저들은…… 모험가인 것 같습니다."

"모험가라고?"

사람을 통째로 삼켜버릴 듯한 거대한 뱀이 커다란 입을 벌리며 위협했다. 몸통은 성인 남성 정도의 두께를 가졌고, 길이는 20미터를 넘는다.

지면을 기어서 나아가 목을 쳐든 그 크기는 올려다볼 정도다.

그 정면에서, 푸른 머리를 가진 청년이 앞을 가로막았다. 그리고 양손에 든 사브르로 베어 들어갔다.

일섬과 함께 거대한 뱀의 목이 달아났고, 그를 덮치려던 마물들을 향해 마법이 차례차례 날아갔다.

훈련된 기사이자 귀족— 마법사의 혈통을 가진 노마 일행은 그 마법의 위력과 정밀도를 올바르게 파악하고 놀라움을 감추지 못했다.

'뭐냐…… 뭐냐, 저 녀석들은!'

오크에게 둘러싸인 흑발의 여성이 배틀 액스로 오크들을 베어버렸다.

붉은 머리 여성이 아군 뒤로 돌아 들어가려는 마물을 덮쳤고, 녹색 머리를 한 여성은 손에서 꺼낸 실로 마물들을 묶고는 그대로 조여서 숨통을 끊었다.

소란에 자극받았는지, 근처 숲에서 마물이 차례차례 나왔다.

그러나 그들은 전혀 동요하지 않았다.

노마가 확인하려 했다.

"이름 있는 모험가는 참가하지 않았을 텐데?"

"네, 네. 하지만, 젊으니까요. 지금부터 이름을 날릴 모험가들일지도 모릅니다."

모리스의 대답을 들은 노마는 납득보다도 초조함을 느꼈다.

'저게 모험가라고? 웃기지 마라. 활약해야 하는 건 나야. 내가 활약해서 출세해야……'

정신이 들자 전투는 끝났고, 노마는 사브르를 칼집에 넣은 청년의 모습을 노려봤다.

'응? 저 얼굴…… 뇌물을 줬던 녀석인가? 아냐, 하지만 장비가 다른데……'

자신에게 뇌물을 줬던 청년인 줄 알았는데, 데리고 있는 동

료나 장비가 달라서 타인이라고 판단했지만…… 노마는 그들
이 많이 닮았다고 생각했다.

　전투 후.

　예상했던 대로 모리스 씨가 이리로 다가왔다.

　목이 떨어진 거대한 뱀 근처에 있는 나를 보고는 말에서 내
려와 말을 걸어왔다.

　"지금 전투는 잘 봤다. 굉장하더군."

　모리스 씨는 평범하게 칭찬해줬다.

　그러나 떨어진 곳에서 이쪽을 바라보는 노마는 명백하게 우
리를 경계하고 있었다.

　보옥에서는 3대가 크게 웃었다.

　『쪼잔하네. 노마. 그릇이 엄청 쪼잔해. 좀 더 부하를 칭찬해
야지.』

　노마 씨의 그릇이 작다는 건 처음부터 알고 있었지만, 역시
자기가 아닌 다른 사람이 활약하는 건 용납할 수 없는 모양
이다.

　"감사합니다."

　"모험가라고 들었는데, 왕도에서는 그다지 이름을 듣지 못
해서 말이지. 어디 다른 곳에서 이동한 건가?"

　"아람사스에서 왔습니다. 왕도에는 들렀을 뿐이에요. 마침
의뢰를 받아서 이번 토벌에 참가했죠."

　"의뢰?"

"네, 사크라이 가 당주의 의뢰라서요. 아, 계약서도 확실히 있어요."

우리가 참가하는 걸 알리지 않은 게 신경 쓰인다.

서류를 보여주자, 모리스 씨가 초조해했다.

"자작가의 관계자인가?"

"뭐…… 그런 셈이죠."

3대가 말했다.

『라이엘. 장인어른이라고 말해줘. 분명 재미있을 거야.』

2대가 어이없어했다.

『여기서 도발해서 어쩔 거냐.』

모리스 씨가 노마 씨 쪽을 힐끔힐끔 바라봤다.

"아~ 그게…… 대장님에게 확인을 받아올 테니, 그대로 마석이나 소재 회수를 진행해줄 수 있겠나?"

내가 고개를 끄덕이자, 모리스 씨는 계약서를 들고 서둘러서 노마 씨에게 향했다.

시선이 모여서 그쪽을 보자, 환성을 내지르는 토벌대 가운데서— 리오넬이 나를 보며 무척 분통해하고 있었다.

제70화 과거

토벌대가 지오니에 도착한 것은 예정보다 이틀 늦은 시간이 었다.

아리아 씨가 거리를 보며 아연실색했다.

"벌써 너덜너덜하잖아."

돌을 쌓아 올려 만든 외벽은 거의 무너졌고, 일부 남아있는 상태였다. 건물도 목조는 타버렸고, 석조나 벽돌로 만든 것은 파괴되어 있다.

도시 주변에 펼쳐진 밭도 짓밟혔고, 도시부만이 아니라 지 오니 전체가 마치 멸망한 듯한 상태까지 몰려있었다.

그러나 사람은 아직 남아있다.

토벌대가 오는 모습을 보자, 가까스로 집에 숨어있다가 나 오는 사람도 있거니와 노려보는 사람도 있었다. 까놓고 말해 서 환영한다고는 말하기 힘들었다.

소피아 씨가 고개를 수그렸다.

"……역시, 시간이 너무 늦어버린 건가요. 좀 더 빨리 달려 왔으면 좋았을 텐데."

소피아 씨는 영주 귀족의 딸이다. 배신(陪臣)이지만, 소영주 가문에서 태어났다.

고향을 떠올린 걸지도 모른다.

아리아 씨가 분개했다.

"애초에 몇 주일이나 시간을 들인 게 문제야. 바로 달려왔다면 이런 일은 없었겠지."

"아리아의 말이 맞아요. 게다가, 모인 병사들에게도 문제가 있어요."

행군이 늦어진 원인은 애초에 참가자들의 숙련도가 부족하기 때문이다.

2대의 탄식이 들려왔다.

『라이엘. 두 사람을 조용히 시켜라. 정말로 분통한 심정인 건…… 이 도시 사람이니까.』

말투가 거칠어지는 두 사람에게 주의를 줬다.

"두 사람 다 지금은 더 말하지 않는 게 좋아. 분한 건 이 도시 사람들이니까."

두 사람이 조용해지자, 4대가 상황을 보며 말했다.

『주변에서도 도망쳐온 것 같군요. 벽이 있는 도시로 도망친 모양입니다.』

벽 바깥에 있던 민가나 건물은 거의 완전히 파괴되었고, 논밭은 황폐해져서 심각한 상태였다.

5대가 뭔가 의심했다.

『들었던 상황과는 다른데. ……이거 예상이 맞은 건가?』

도착한 증원을 보자, 명사로 보이는 인물이 뛰쳐나왔다.

초로의 남성은 말에 탄 기사에게 달라붙었다.

"기사님. 어째서 더 빨리 와주시지 않은 겁니까!"

노마 씨는 짜증난다는 표정을 지으며 대답하지 않았다.

대신 모리스 씨가 대응했다.

"아~ 이름을 물어봐도 될까?"

"팻이라고 합니다. 관리도 도망치고, 다른 명사들은 도망치거나 전투에서 쓰러져서 저밖에 남아있지 않습니다."

팻이라 이름을 댄 명사는 도시에서 직공들을 규합하는 역할을 맡았다고 한다.

작은 도시에는 상점이 한 채. 그 밖에는 직공들의 건물이 몇 채.

여관도 있어 보이지만, 도저히 400명이나 묵을 수 있는 넓이는 아니다.

"우리가 왔으니 이제는 안심하시죠. 이만한 숫자가 모였습니다. 히포그리프 따위에게 질 리가 없으니, 안심을—."

그러자 팻 씨의 안색이 변했다.

"무, 무슨 말씀을 하시는 겁니까? 마물을 이끄는 건 『그리폰』입니다! 천 마리를 넘는 마물을 이끄는 건 그리폰이라고요!"

팻 씨의 외침을 듣자, 그때까지 무관심하던 노마 씨의 표정이 일변했다.

말 위에서 고함을 쳤다.

"말도 안 돼! 나는 마물을 이끄는 건 히포그리프라고 들었다고!"

"그, 그럴 리가 없습니다. 도망친 관리도 그리폰을 목격했고, 편지에는 확실히 그리폰이라고 적었습니다!"

목숨을 걸고 편지를 보냈는데, 겨우 온 구원은 적을 히포그리프라고 생각하고 있다니.

팻 씨는 울고 싶은 기분이겠지.

단지, 히포그리프를 상대하리라 여겼던 우리 토벌대도 울고 싶은 기분은 마찬가지다.

아닌 밤 중의 홍두깨니까.

―왕도.

왕궁에서는 랄프를 시작으로 왕궁에서 일하는 귀족들이 모여있었다.

전원이 남작이나 자작 같은 가문이고, 각각 관직을 가진 고급 관료에 해당하는 존재다.

왕궁의 어느 방에 모인 이들은 지오니 파병의 진정한 목적을 이야기했다.

"이번 건은 딱 좋은 기회였군요."

뚱뚱한 남작이 그런 말을 꺼내자, 주변 사람들도 살짝 웃으면서 만족스럽게 끄덕였다.

"마물도 눈치가 빠르군요."

"이제 왕도도 조금은 깨끗해지겠어요."

"숫자를 줄이기엔 딱 좋은 기회였습니다."

그들은 지오니를 습격한 것이 히포그리프가 아니라 그리폰이라는 걸 처음부터 파악하고 있었다.

도시에서 도망친 관리의 보고나 결사의 각오로 보낸 의뢰를 알고 있었다. 알면서도 그걸 이용했다.

랄프가 입을 열었다.

"토벌대가 전멸하고, 도시가 멸망할 즈음해서 진짜 기사단을 파견하겠습니다. 독립시키고 싶은 이가 있다면 참가하게 하시죠. 공적을 거두게 해서 독립시킬 기회입니다."

토벌대는 전멸하는 게 바람직했다.

이유는, 말석에 있는 귀족 가문을 줄이고 싶으니까.

남작이 웃으면서 끄덕였다.

"저희 쪽의 차남을 독립시키려고 생각하고 있어서요. 이번 일로 공적을 거두게 하면 가문을 만들 수 있겠군요."

토벌대가 전멸한다면 반세임 왕국의 수치가 될 수 있지만, 애초에 그리폰이 습격한 것은 왕국의 직할지다.

영주가 불평할 일도 없고, 그 후에 정규군 기사단이 그리폰을 토벌한다면 문제없다.

오히려 기사단의 평가가 올라갈 것이다.

그런 위험한 마물을 토벌했으니까.

이 자리에 있는 이들에게 토벌대나 지오니라는 곳은 그 정도의 가치밖에 없었다. 피해는 나오겠지만, 딱히 대단한 손해는 아니라고 생각하고 있었다.

실제로 왕국의 영토는 넓다. 지오니를 잃어봤자 숫자상으로는 대단한 손해도 아니다.

"도망치는 자가 나오지 않을까요?"

"있을지도 모르지만, 그리폰이 놓아줄 것 같지는 않군요."

"왕도에 돌아온다면, 적을 앞에 두고 도망쳤다는 명분으로 처벌하면 됩니다."

보낸 기사도, 병사도, 지원자들도, 죽어도 상관없다.

이번 일을 거치면 귀족 가문이 많이 줄어들 것이다. 그렇게 공백이 생기면, 새로운 귀족들이 탄생하게 된다.

랄프는 주변 사람들에게 맞춰서 미소를 지었다.

'이걸로 방해되는 애송이들도 사라지겠지. 이후에는 도리스가 데릴사위를 얻으면, 이 문제도 해결된다.'

그들은 불필요한 자를 한꺼번에 보내버렸다고 생각하고 있었다.

지오니에 있는 반파된 민가.

우리는 그 옆에 포터를 세우고 야영 준비에 들어갔다.

샤논이 내게 말을 걸었다.

"저기, 왜 다들 히포그리프라고 하니까 안심하고, 그리폰이라고 하니까 침울해진 거야?"

샤논의 질문을 들은 나는 어이가 없어졌다.

히포그리프는 확실히 성가시지만 쓰러뜨리지 못할 정도는 아니다.

그러나, 그리폰은 매우 위험하다.

"……너, 그리폰을 뭐라고 생각하는데?"

"히포그리프하고 비슷한 거 아냐? 그림으로 봤으니까 알고 있어. 친척 같은 거잖아."

확실히 양자는 매우 닮았다.

똑같이 독수리 머리에 날개를 가진 마물이다.

그러나 그리폰은— 몸통이 말이 아니라 사자다. 크기도 히포그리프보다 크고, 흉포한 데다 머리도 좋은 위험한 마물이다.

그리폰을 쓰러뜨린다면 영웅 대접을 받는다.

양자 사이에는 그 정도로 큰 차이가 있는지라…… 그리폰은 히포그리프의 상위종이라고 봐도 좋다.

그렇게 그리폰에 관해 설명했지만, 샤논은 이해하지 못한 모양이었다.

"……역시 친척이잖아."

"닮긴 했지만 다르다고 했잖아. 그보다, 그림만 보고 글을 읽지 않았지? 나중에 미란다 씨한테 이른다."

"잠깐만! 언니한테는 말하지 마! 과자 줄 테니까 기다려!"

울 것 같은 눈으로 애원해왔다. 샤논은 태어났을 때부터 눈이 보이지 않았는지라 글을 읽지 못한다. 그래서 볼 수 있게 된 지금은 읽기 공부 중이다.

공부를 땡땡이친 벌을 받아야겠지.

"안 돼."

"으…… 라이엘 바보!"

"바보 좋지. 하지만 혼나는 건 너야."

승리를 뽐내는 미소를 짓자, 샤논이 말했다.

"그 얼굴, 왠지 도리스 언니의 남친하고 똑같네. 그 녀석도 기둥서방이고. 너랑 똑같아."

"뭐라고!"

화를 내자 샤논이 도망갔다.

나는 한숨을 내쉬었다.

샤논에 대한 것도 물론 문제지만, 지금은 달리 우선해야 할 문제가 산더미 같다.

토벌대의 사기가 떨어졌다. 게다가 그런 토벌대를 본 도시 사람들의 낙담한 얼굴도 보였다.

노마 씨가 즉시 퇴각을 주장한 것도 곤란했다.

동의하는 이들도 있었지만, 모리스 씨가 어떻게든 말려서 지금에 이른다.

그리폰에게 이길 수 있을 리가 없다. 그러니 도망치자는 건 틀린 말은 아니지만…… 우리의 처지를 고려하면 그건 악수다.

왕궁에서는 우리가 도망치는 걸 기다리고 있을 거다.

전멸해도 좋다. 도시가 멸망해도 좋다. 도망쳐도 좋다. 도망친다면 분명 이유를 달아서 처분할 생각일 테니까.

모리스 씨는 왕궁에서 받은 정보가 틀렸다는 것을 알고 여러모로 눈치를 챈 모양이었다.

까놓고 말해서 상황은 최악이라 말해도 좋다.

그러나―.

『그리폰이라. 이제야 라이엘도 한 사람 몫을 하게 되겠군.』

『좋네, 그리폰!』

『소재도 마석도 입수하고 싶군요. 그건 꽤 돈이 되니까요.』

『나는 기회가 적어서 두 마리밖에 처치하지 못했단 말이지.』

『역시 남자로서 그리폰 퇴치는 빼놓을 수 없지요! 라이엘, 잘됐구나!』

『박제하죠. 박제합시다. 라이엘이 쓰러뜨린 그리폰은 박제해서 전시하는 겁니다!』

―역대 당주들의 분위기가 너무하다.

드래곤 퇴치 같은 게 좀처럼 없었던 월트 가에 있어서 그리폰 퇴치는 한 사람 몫을 한다는 증거였다고 한다.

아니잖아. 그게 아니야. 그게 아니라고.

일반적인 상식으로 보면, 그리폰은 나온 시점에서 죽음을 각오해야 하는 레벨이다.

2대가 분통해했다.

『라이엘이 지휘할 수만 있다면 일대 일로 끌어들일 수 있을 것 같은데. 하지만 노마가 지휘를 맡는다면 힘들겠지?』

6대가 그 의견을 부정했다.

『반대로 라이엘 일행에게 떠넘길 가능성도 있습니다. 뭐, 이 상황에서 도망치려고 하는 멍청이니까, 확률로 따지면 그쪽이 높지 않을까요? ……응?』

갑자기 6대의 태도가 변했다.

뭔가 주변 경치가 기억에 있는 모양이다.

『이 경치, 어디서 본 것 같은데…… 확실히…… 그러고 보니 지오니라면 내 시대에 작은 마을이…….』

『왜 그래? 옛날에 온 적이 있어?』

5대가 말을 걸자, 6대가 얼빠진 목소리로 말했다.

『……아.』

뭔가 떠올린 모양이지만, 갑자기 입을 다물고 말았다. 그런 6대가 신경 쓰였는지 역대 당주들이 캐물었다. 그러나 6대는 입을 열려 하지 않았다.

아리아 씨가 내게 다가왔다.

"라이엘, 도시를 안내해준다는 사람을 찾았어."

"감사합니다. 현지인은 중요하니까요."

안내인이 있는 것과 없는 건 크게 다르다.

일단 현재 상황을 모르면 대책을 세울 수가 없다.

아리아 씨가 머리를 긁적였다.

"그게, 뭐라 말해야 좋을지 모르겠지만…… 자, 인사해."

아리아 씨 뒤에 숨어있던 건, 꽤 조그만 아이였다.

나이는 여섯 살에서 일곱 살 정도일까?

"혹시 안내인?"

아이는 긴장한 듯이 고개를 끄덕였다.

갈색 피부. 드러난 피부에는 긁힌 상처가 눈에 띈다.

"남자는 대부분…… 이 아이, 이야기를 들어보니까 사냥꾼의 자식이래. 이 주변이라면 아버지에게 들어서 잘 안다는 것 같아"

"으음…… 그건……."

뭐라 말할 수가 없었다. 보옥 안도 조용한 건, 분명 현재 상황이 터무니없이 힘들다는 걸 알아챘으니까. 그런 것 같다.

소년은 내게 고개를 숙였다.

"처, 처음 뵙겠습니다. 루카라고 합니다. 열심히 노력할 테니까 고용해주세요."

안내인에게는 보수를 줄 작정이었지만, 설마 이런 어린애가 올 줄은 몰랐다.

어떻게 할지 고민하고 있는데, 2대와 3대가…….

『……듀이.』

『듀이 형…… 어째서.』

슬픈 목소리로, 『루카』와는 다른 이름을 중얼거리고 있었다.

소년의 이름은 【루카】.

사냥꾼이었던 아버지를 여의고, 조금이라도 돈을 벌고자 안내인을 맡게 되었다. 남아있는 남자들은 토벌대를 이끄는 노마 씨가 긁어모아서, 루카 말고는 찾을 수가 없었다.

아무래도 2대의 아들이자 3대의 형에 해당하는— 【듀이】를 무척 닮은 모양이다.

그러나 두 사람은 사정을 이야기해주지 않았다.

보옥에서 들려오는 목소리가 조용해서 좋기는 하다.

나는 루카의 뒤를 걷고 있었다.

"이쪽이에요, 라이엘 님."

"라이엘 님이라니…… 편하게 불러도 돼."

"아, 안 돼요. 돈을 받는다면 진지하게 일해야 한다고 어머니가 그랬어요."

세상을 떠난 아버지를 대신해서 어머니를 지키려 하는 기특

한 소년.

그 뒷모습을 본 나는 자신이 부끄러워졌다.

내게는 이 나이대의 기억이 없다. 매우 애매하다.

이렇게 어엿한 모습을 보였느냐고 묻는다면…… 자신이 없었다. 까놓고 말해서, 얼마 전까지의 나보다도 어엿했다. 그래. 친가에서 떠난 무렵의 나보다는 확실하게, 훨씬 어엿하다.

길 안내는 물론이거니와 어느 벽이 무너졌는지, 약한 부분까지 세세하게 가르쳐주었다.

"여기는 매번 수리하고 있지만 바로 부서져요."

"오, 오오."

"이쪽에 있는 다리는 연약해서, 많은 인원이 건너면 위험해요."

"어, 어어."

"이쪽에는—."

"으, 응."

들어보니, 아버지를 돕거나 친구랑 놀면서 도시에 대해 잘 알게 된 모양이다. 여러모로 알 수 있게 되어서 다행이지만, 왠지 나와 비교가 되어서 무척 시무룩해진 결과가 되었다.

이 아이, 나보다 어엿할지도 모른다.

도시를 모두 순회하자 이미 해가 저물고 있었다.

나는 처음에는 은화 한 닢이면 되겠다고 생각했지만…… 노력해준 루카가 고맙기도 하고, 앞으로의 생활에 보탬이 되기를 바라며 은화를 세 닢 주었다.

"이렇게 많이 받아도 되나요?"

"괜찮으니까 받아둬. 어머니를…… 소중히 대해드리고."

"네!"

기운차게 손을 흔들며 돌아가는 소년을 배웅한 나는 동료들에게 돌아갔다.

도시 여관.

기사나 도시 남자들이 모여 있었다.

그리고 그 안에는 리오넬의 모습도 있었다.

전원이 의기소침. 현재 상황을 들으면 들을수록 자신들의 상황이 나쁘다는 것을 알게 될 뿐이어서 안색도 나빴다.

리오넬은 내심 매우 초조했다.

'거짓말이야. 이건 분명 거짓말이야. 그때는 히포그리프라고 했잖아! 십기장이 있으니까 분명 괜찮을 거라고 들었는데!'

어디서 정보가 잘못된 걸까?

어쩌면, 주민들이 거짓말을 하고 있거나 착각한 걸지도 모른다. 몇 번이고 그렇게 생각했지만, 도시나 도시 주변의 피해를 들어보면 거짓말 같지는 않았다.

노마도 새파란 표정으로 침묵하고 있을 뿐이다.

모리스가 대신 말을 이었다.

"그리폰이 다수의 히포그리프를 거느리고 있다고?"

"그렇다니까! 몇 번씩 말하게 하지 말라고!"

주민들의 태도도 험악해졌다. 그건 구해줄 줄 알았던 기사들이 미덥지 못하기 때문이다.

"히포그리프의 숫자는?"

"내가 알겠냐고. 동시에 네 마리까지는 봤어. 하지만, 정확한 숫자는……"

도시의 남자들. 그리고 주변에서 도망쳐온 남자들.

용감하게 싸우던 자들은 대다수가 죽었고, 남은 이들은 싸울 기력이 거의 남지 않았다.

리오넬이 물어보려고 하자…….

"크, 큰일이야! 밖에 그리폰이……!"

전원이 서둘러 밖으로 나오자, 그리폰은 도시 외벽에 내려 앉아서 튀쳐나온 리오넬 일행을 바라보고 있었다.

하늘을 올려다보니, 저녁놀이 지는 하늘에 히포그리프로 보이는 그림자가 여섯.

'크, 크잖아!'

리오넬은 그리폰의 크기를 보고 놀랐다. 왕도 정도는 아니지만 그래도 올려다볼 정도로 높은 벽이건만, 그리폰이 앉으니까 작아 보였다.

그리폰은 마치 비웃듯이 씨익 입을 열고는, 그대로 날개를 크게 펼치며 날아올랐다.

히포그리프를 이끌고 멀리 떠나간다.

'무, 무서워…… 저게 그리폰인가.'

이야기나 동화에 나오는 마물. 쓰러뜨리면 영웅으로 불리는 마물 앞에서, 리오넬은 몸을 움츠리며 움직일 수 없었다.

그건 노마도 마찬가지였던 모양이다.

무릎부터 무너지더니 머리를 부여잡았다.

"들은 적이 있어. 그리폰은 사냥을 즐긴다고……. 끝장이야. 우리는 저 녀석의 장난감이 되어 죽을 거야."

지휘관이 겁을 집어먹자, 그것이 곧바로 전체에 전파됐다.

"대장님. 무슨 말씀이십니까! 당장 대책을 세우기 위해 움직이지 않으면 정말로 죽어버립니다!"

모리스가 일으켜 세우기 위해 손을 뻗었지만, 그 손을 뿌리친 노마가 외쳤다.

"너는 바보냐! 저건 기사단에서도 정예가 상대하는 마물이야! 이런 어중이떠중이 부대에다 너덜너덜한 도시에서 어떻게 맞부딪치려는 거냐!"

노마는 머리를 부여잡고 그 자리에서 울음을 터뜨리고 말았다.

그 모습을 본 리오넬은 생각했다.

'도망쳐야 해. 나는 이런 곳에서 죽을 수 없어. 겨우 기회를 손에 넣었는데. 여기서는 도망치고 다음 기회에 데릴사위를 노려야 해.'

리오넬은 비틀비틀 그 자리를 떠났다.

밤.

모닥불에 둘러앉은 우리는 식사를 마쳤다.

역시 그리폰이 나온 것은 모두에게도 충격이었던 모양이다. 단지, 나는 역대 당주들이 수상하다고 말했었기에 조금은 마음의 여유가 있었다.

"그리폰이 상대로군."

내가 중얼거리는 목소리에 대답한 건 아리아 씨다.

"왜 그렇게 차분한 거야! 우리, 속아 넘어간 거나 다름없잖아!"

아리아 씨의 의견을 정정한 것은 클라라 씨였다.

"아뇨, 속아 넘어간 게 맞아요. 관리는 도망쳐서 왕궁에 보고했다고 들었어요. 도시에서 나온 의뢰도 당도했다고 들었죠. 왕궁은 이번 사건을 정확하게 알고 있었을 거예요."

알고 있었던 건 틀림없다. 그걸 설명할 수 있는 요소는 많다. 미움받는 대장에, 어중이떠중이 귀족이나 병사들.

아리아 씨는 아연실색했다.

"……어째서 이렇게 된 건데."

나도 같은 의견이다. 그러나 그걸 바라는 것이 지금의 왕궁이겠지.

클라라 씨가 나를 바라봤다.

"저희는 그리폰을 상대할 장비를 가지고 있지 않아요. 라이엘 씨, 퇴각은 생각하고 계시나요?"

클라라 씨가 냉정하게, 그리고 모험가로서 적절한 의견을 내자 아리아 씨가 벌떡 일어섰다.

"잠깐만! 여기 있는 사람들을 버리자는 거야?"

"……전원을 구하는 게 이상적이지만, 저희에게 그만한 힘이 없다는 건 아셔야 해요."

"하지만…… 그런 건……."

식후에 받은 컵에는 따스한 음료수가 있다.

밤의 냉기 속에서, 증기가 확연하게 보였다.

입에 대고 한 모금 마셨다.

샤논이 덜덜 떨면서 미란다 씨에게 도움을 요청했다.

"언니, 어쩌실 거예요?"

"아무리 그래도 이 상태에서 반격하는 건 무리네. 게다가 다들 의욕도 없고."

에바 씨도 주저앉았다.

"그리폰이라아…… 지금 있는 사람들로 어떻게 할 수 있을 것 같지는 않네. 그보다, 의뢰한 건 네 아버지잖아? 딸한테 이런 사기극을 저질러?"

미란다 씨는 다리를 꼬면서 팔꿈치를 무릎 위에 올려놨다. 턱에 손을 대고 에바 씨의 질문에 대답하는 모습은 어딘가 가증스러워하는 것처럼 보였다.

"그런 아버지야. 제지하려던 이유도 지금에 와서는 확실히 밝혀졌고. 그 녀석, 라이엘을 여기서 죽일 작정이었던 거야. ……정말로 한심한 녀석."

그 녀석이란 랄프 씨를 말하는 거겠지. 자신의 아버지를 그 녀석이라 부르다니……. 하지만 누구도 지나친 말이라고 타박할 수 없었다.

입을 다문 샤논에게 시선이 모였다.

제지하려고 했던 건 미란다 씨뿐…… 랄프 씨가 가문을 중심으로 생각하는 건 알겠지만, 이래서는 샤논이 너무나 딱하다.

소피아 씨가 에바 씨에게 물었다.

"도움이 될 이야기가 없을까요? 영웅이 그리폰을 쓰러뜨린 방법이라든가."

"나한테 물어도 곤란해. 직접 봤다면 좀 다르겠지만, 애초에 이야기나 노래 같은 건 과장도 있으니까."

"그, 그런가요."

소피아 씨가 침울해졌다.

모니카는 평소대로다.

"일대 일이라면 어떻게든 가능하겠지만요. 아무리 그래도 하늘은 비겁하잖아요. 저도 추가 장비가 없으면 하늘을 날 수 없어요."

······이 녀석, 중요할 때는 도움이 안 되네.

노웸은 나를 보며 말을 기다리고 있다.

보옥 안은 조금 전부터 조용해서, 나는 어떻게 해야 좋을지 고민했다. 역대 당주들의 반응으로 봐서는 싸울 방법이 있어 보인다.

그러나 지금은 뭐라 말할 수가 없다.

어쩌면 나를 시험하고 있는 걸까?

"일단 지금은 쉬자. 그리폰은 정찰을 왔을 뿐인 것 같고, 도망치더라도 밤은 너무 위험해."

불침번 순서를 정하고 자기로 했다.

나는 보옥 안으로 의식을 날렸다.

보옥 안.

웬일로 진지한 표정인 3대가 2대와 대화를 나누고 있었다. 다른 역대 당주들은 그 대화를 묵묵히 들었다.

『닮았어.』

『설마 이런 곳에서 듀이 형과 똑 닮은 아이를 만날 줄은 생각도 못했네.』

원래는 3대 월트 가 당주가 되어야 했던 듀이 씨.

2대는 조금 슬픈 듯한, 그러면서도 기쁜 듯한 복잡한 표정으로 말했다.

『닮은 아이 정도야 있긴 하겠지만, 이것도 인과라고 해야 할까.』

3대도 살짝 고개를 끄덕였다.

『잘됐잖아. 빨리 사라졌다면 루카를 만나지 못했을 거야. 라이엘은 결과적으로 여기에 왔을 뿐이지만, 루카를 구할 수 있게 됐어.』

『그래. 잘됐어.』

듀이 씨는 당주가 되기 전에 세상을 떠났다.

그래서 차남인 슬레이가 월트 가를 이었다.

적자가 언제나 무사히 가문을 이을 수는 없다.

그래서 가족을 늘린다.

그러나, 늘어나 버린 아이들이 때로는 가문을 잇고자 다투기도 한다.

월트 가는 다행히 그런 일은 일어나지 않았다. 아니, 일어났다면 지금의 번영을 누릴 수 없었겠지.

그 영광을 이어받지 못한 내게는 뭐라 말할 권리는 없겠지만.

2대가 나를 바라봤다.

『의아해 보이는구나.』

"그, 그게…… 네."

무슨 일이 있었다는 예감은 든다. 듀이 씨가 세상을 떠나고, 3대가 후계자가 된 것은 나도 추측할 수야 있다.

그러나 자세한 이야기는 모른다.

『……이대로 이야기하지 않는 것도 좀 그렇겠군.』

2대가 그렇게 말하자, 3대가 머리를 긁적였다.

『그러게. 라이엘은 최선을 다해줘야 하니까. 이유를 알아야지.』

2대와 3대가 루카라는 소년에게 집착하는 이유.

3대가 자세를 바르게 했다.

『딱히 복잡한 사정이 있는 건 아니야. 단지, 라이엘은 알아 줬으면 좋겠어. 우리의 마음을.』

2대가 일어섰다.

『라이엘. 잠시 같이 가자.』

2대의 기억의 방.

평소에는 맑은 하늘인데, 오늘은 비가 오고 있었다. 그것도 호우라서 시야가 좋지 않다.

손을 펼치자, 비는 보이고 있는데도 손으로 잡을 수는 없다. 그러나 습기 찬 지면을 밟는 감각은 확실히 있었다.

걸으면 진흙도 튀기지만, 옷에 묻지는 않는다. 이게 기억의
방이다.

호우인데도 몸이 젖지 않는다는 감각은 참 신기하다.

2대는 내 앞을 걸었다.

격렬한 빗소리와 좋지 않은 시야 때문에 한눈팔다가는 2대
를 놓칠 것 같았다.

"무슨 일이 있었나요?"

『따라오면 안다.』

말수가 적어진 2대는 그대로 어느 곳으로 걸어가서 멈춰 섰다.

『여기는 나의 기억만 있는 게 아니다. 슬레이의— 3대의 기
억도 섞여 있지. 나는 지금까지 보지 못했어.』

보옥이란 신기한 물건이다.

2대는 멈춰 서서 그날에 있었던 일을 이야기했다.

『그날은 듀이와 슬레이— 두 사람과 약속을 했었지. 활 연
습을 봐주겠다는 약속이었다. 하지만 급한 용무가 생겨서 저
택을 나가게 되었지. 아침에는 기후도 좋았지만, 오후부터 안
좋아져서 돌아올 때는 호우가 내리더군.』

잊을 수 없는 날이었는지, 2대는 세세한 것까지 기억하고
있었다. 두 사람에게 미안해서, 선물을 준비했다고 한다.

『돌아오니, 저택 사람들이 두 사람이 돌아오지 않았다며 당
황하고 있더라고. 어디로 갔는지 몰라서 다들 소란을 부리며
찾고 있었어. 나는 혹시나 해서 뛰쳐나갔지.』

호우 속에서 이야기하는 소리가 들려왔다.

시선을 돌리자, 그곳에는 두 아이의 모습이 있었다.

그리고…… 이마에 뿔을 내민 일각토끼가 당장에라도 뛰어들려는 듯이 머리를 숙이고, 엉덩이를 높이 든 자세로 대기하고 있었다.

『형!』

흠뻑 젖은 금발 소년이 울고 있었다. 어린 시절의 3대겠지.

다른 한 명은 루카— 아니, 매우 닮았지만 듀이이리라.

『슬레이. 형 뒤로 물러나! 괘, 괜찮으니까.』

마을에 들어온 일각토끼.

어른이라면 별것 아닌 마물일지도 모르지만, 아이 두 사람에게는 위협적이다.

듀이가 연습용 활을 들었다.

『도, 동생에게는 손댈 수 없어!』

어리면서도 다부진 소년이지만, 일각토끼는 살기를 내뿜고 있었다. 위험하다고 생각해서 도와주려고 한 발 앞으로 나섰지만, 나보다 먼저 참지 못하고 앞으로 뛰쳐나간 2대가 일각토끼 앞에 섰다. 그러나 일각토끼는 2대를 그냥 지나치더니— 듀이를 덮쳤다.

아직 어린 아이의 가슴에 날카로운 뿔이 꽂혔다.

슬레이가 큰소리로 울었다. 듀이는 괴로운 듯이 버둥거렸다. 손을 내밀었지만 닿지 않는다. 건드릴 수 없다.

2대의 표정은 눈물을 흘릴 것만 같았다.

일각토끼는 멈추지 않고, 뿔을 뽑아서 이번에는 슬레이를 노렸다.

뛰어들고자 점프한 순간.

빗속에서, 날카로운 화살이 일각토끼의 몸에 꽂혔다.

한 발이 아니라 몇 발의 화살이 일각토끼의 몸에 꽂혔다. 화살의 힘에 밀려난 일각토끼의 몸은 공중에서 방향을 바꿔 땅에 떨어지고는 움직이지 못하게 되었다.

화살이 날아온 방향을 보자, 활을 든 2대— 크라셀의 모습이 있었다.

크라셀이 서둘러 달려오자, 슬레이가 울면서 호소했다.

『형이……. 형이!』

크라셀은 듀이를 안아 들었다.

가슴에서 흐르는 피가 비와 섞여서 지면에 흘렀다.

『듀이?! 야, 듀이!!』

말을 걸었지만, 공허한 눈을 한 듀이는 살짝 입을 움직일 뿐. 빗소리와 슬레이의 울음소리 탓에 무슨 말을 하는지는 들리지 않았다.

크라셀이 듀이의 피를 막고자 가슴에 손을 댔지만, 그 손가락 사이에서도 피가 점점 새어 나왔다.

『괜찮다. 바로 저택으로 데려갈 거야. 어머니가 기다리고 있어. 할머니도— 할아버지도 기다릴 테니까.』

나는 그 광경을 보고 있을 수밖에 없었다.

상처는, 한눈에 알 수 있는 치명상이다.

당황한 크라셀이 몇 번이고 듀이에게 말을 걸었지만, 대답은 없었다.

그 작은 생명은 품속에서 사라졌고…….

『늦게 와서 미안하다. 아팠겠지. 괴로웠겠지. ……정말로 미안하다.』

강하게, 그리고 다정하게 안으면서, 비가 내리는 하늘을 올려다보며 큰소리로 울었다.

2대는 자신의 모습이 부끄러운 모양이었다.

『……정말이지 한심하지 않냐. 자신이 싫어져.』

"그, 그렇지는……."

2대는 말을 끝내기도 전에 고개를 가로저었다.

『듀이를 지키지 못했던 건 내 책임이다. 약속을 지켰으면 됐을 텐데.』

활 연습을 나간 아이들.

비가 내려서 한동안 비를 피했지만, 아무리 기다려도 그치지 않아서 젖어도 상관없다며 저택으로 돌아오려 했던 모양이다.

비 때문에 시야가 보이지 않는 가운데 달리던 중, 슬레이가 일각토끼와 부딪쳤다고 한다.

울고 있는 크라셀과 슬레이의 모습을 보던 나는 두 사람이 어떤 심정으로 루카와 듀이를 겹쳐보고 있는지 깨달았다.

그리고, 초대부터 3대까지 이어지는 일각토끼 혐오의 이유도 밝혀졌다. 어째서 그렇게 혐오하는지가 의아했는데, 이유를 알게 되니 납득이 갔다.

……세 사람이 이유를 확실히 말하지 않았던 것도 왠지 모르게 알 수 있었다. 분명, 이날의 일을 건드리고 싶지 않았겠지. 아니, 누군가가 건드리기를 바라지 않았던 걸지도 모른다.

"2대, 저는—"

『……경치를 바꾸자.』

2대가 말을 가로막았다.

비가 그치자 경치가 잿빛으로 바뀌고, 천천히 다른 경치로 변했다. 경치에 색이 돌아오자, 그곳은 활 훈련장이었다.

그곳에는 웃는 얼굴의 크라셀이 듀이와 슬레이에게 활을 가르쳐주고 있었다.

어린이용 작은 활을 만들어줬는지, 두 사람은 그걸로 연습하고 있다.

듀이가 화살을 과녁에 맞혔다.

거리가 짧아서 맞추는 건 그리 어렵지 않았지만, 크라셀은 기뻐 보였다.

『잘했다, 듀이!』

『응!』

한편, 슬레이는 잘 맞추지 못해서 울 것 같았다. 그걸 본 크라셀은 황급히 달려가서 말을 걸었다.

『슬레이, 좀 더 정확하게 겨누는 거다. 그래, 그런 식으로……안 되나.』

잘 맞추지 못한 슬레이는 형인 듀이를 보며 울었다.

『좀 더 힘내자. 슬레이.』

『……응.』

2대는 그 광경을 슬픈 듯이 웃으며 바라봤다.

『슬레이는 얌전했다. 지금을 보면 상상도 할 수 없지만, 듀이의 뒤를 졸졸 따라다니며 놀았어. 듀이는 솔직하고 다정했지. 형이라면서 슬레이를 잘 돌봐줬고. 나는…… 이때가 제일 행복했을지도 몰라.』

즐겁게 활을 가르쳐주는 크라셀과 노력하는 아이들.

『나는 서툰 놈이니까. 놀아주는 방법을 몰랐어. 아버지가 그 모양이어서, 어린 시절에 뭘 받았는지도 떠올리지 못했거든.』

초대. 버질은 내가 보기에도 서툰 사람이었다.

과연 어린애와 제대로 놀아준 적이 있긴 한 건지도 모르겠다.

2대는 나를 돌아봤다.

『라이엘…… 그 아이가 죽는 모습을 보고 싶지는 않아. 듀이가 아니라는 건 알지만, 내가 부탁 좀 하마.』

루카를 지켜달라는 거겠지.

조용히 고개를 끄덕이며 듀이의 모습을 봤다.

루카와 닮았다. 아니, 루카가 듀이를 닮은 건가.

2대가 부끄러운 듯이 머리를 긁적였다.

『사실은 이런 모습을 보여주고 싶지는 않았어.』

"어째서 보여주신 건가요?"

『……뭐, 아무래도 부탁을 하려면 사정도 가르쳐줘야겠다고 생각했거든.』

2대는 진지한 표정으로 변했다.

『이봐, 이건 다른 이야기인데……. 너, 사실은 내 아츠를 쓸 수 있는 것 아니냐?』

그 말을 들은 나는 2대의 얼굴을 볼 수 없게 되었다. 시선을 돌린 것 같다.

『딱히 질책하는 건 아니야. 확실히 몇 번이고 화내기는 했지만…… 일부러 실패하고 있다는 느낌이 들었거든.』

"……할 수 없었던 건 사실이에요."

『정말이냐?』

내가 침묵하자 2대는 살짝 웃었다.

『너, 슬레이와 똑같은 반응을 보이는구나.』

고개를 들자 주변 경치가 또 달라지기 시작했다.

이번에는 아무래도 몇 년이 지난 모양이다.

슬레이가 성장했다.

그러나, 손에 든 것은 활이 아니라 검이다.

크라셀이 곤혹스러운 표정을 지었다.

『슬레이. 너는 활이 싫은 거냐?』

슬레이는 고개를 숙이며 크라셀의 얼굴을 보지 않았다. 그리고는 시선을 이리저리 돌렸다.

『……싫지 않아요. 거북할 뿐이죠. 특기인 검 연습을 하고 있을 뿐이에요.』

나와 똑같은 반응을 보이는 슬레이를 보자, 왠지 부끄러워졌다.

크라셀은 원래 활 연습을 하기를 원했던 모양이지만, 완고

한 슬레이는 검을 들고 휘두르기 연습을 했다.

2대는 그 광경을 보며 말했다.

『지금 생각해 보면…… 슬레이는 줄곧 그날의 일을 마음에 두고 있었을지도 모르겠어.』

활이 아니라 검을 들었다면, 형을 지킬 수 있지 않았을까?

그런 마음을 품었는지는 모르겠지만, 슬레이가 활을 돌아보지 않았던 것은 형을 잃은 뒤부터라고 한다.

제71화 최악의 남자

눈을 뜬 나는 몸을 일으키고 밖으로 나가 도시의 낌새를 살폈다.

이미 파괴 일보 직전인 거리는 마물이 다음 공격을 가하면 패배할 것만 같았다. 아니, 패배하겠지.

하늘을 올려다봤다.

"벽이 있어도 하늘을 나는 마물이 있다면 막을 수가 없어."

그리폰이 이끄는 마물의 군세와 어떻게 싸울까.

생각해봤지만, 역시 우리만으로는 도시를 지킬 수 없다.

마물을 격퇴한다 해도, 그 후에 도시가 멸망해버리면 의미가 없다.

목표로 해야 하는 승리는 도시를 지키고, 그리폰을 쓰러뜨려서 왕도로 개선하는 것이다. 그렇게 하지 않으면 왕도에 있는 녀석들에게 앙갚음을 해줄 수 없다.

이런 곳에 딸을 보냈단 말이지. 아니, 데려온 건 나지만, 만류하지 않았으니까…… 뭐, 됐다. 아무튼 나를 사지에 보낸 랄프 녀석에게 한 방 먹이고 싶다.

그러려면, 역시 숫자가 필요하다.

"전에 후방 지원을 통째로 아군으로 삼은 적이 있는데, 이번에는 전원을 아군으로 끌어들이지 않으면 안 되겠지. 하지만 그건 역시 힘들어."

해야 할 일은 잔뜩 있다.

어떻게 해야 할지 고민하고 있는데, 보옥 안에서 활기를 되찾은 사악한 녀석들이 내게 말을 걸어왔다.

『곤란한 모양이구나, 라이엘.』

『그럴 때는 우리를 의지하라고. 우리의 특기 분야잖아.』

『맞습니다. 그리폰을 쓰러뜨렸다는 명성을 위해 노력합시다.』

『우선은 인원이네.』

『음! 좋은 생각이 났어! 라이엘, 내게 맡겨라.』

『즐거운 사냥 시간 전이다. 라이엘, 준비를 해보자꾸나.』

골치가 아파졌다.

주변이 다들 절망하는 상황 속에서, 역대 당주들은 희희낙락 그리폰 토벌을 나가려고 하고 있었다.

"뭔가 방법이 있어요? 그리폰만 쓰러뜨려도 의미가 없잖아요."

2대도 기운을 되찾은 모양이다.

『당연하지. 도시를 지키는 건 필수야.』

6대가 즐거워하며 내게 조언을 줬다.

『먼저 인원을 확보해야겠지. 그리폰이라는 놈은 머리가 좋아. 어제도 정찰을 왔다던데, 그 녀석들은 노는 습성이 있다.』

논다는 건 정확한 의미가 아닐지도 모르지만, 그리폰처럼 머리가 좋은 마물은 때때로 사냥감을 가지고 논다.

이 상황도 그렇다.

도시 사람들을 슬금슬금 몰아넣고, 조금씩 타격을 줬겠지.

팻 씨의 말을 보더라도, 처음부터 전력을 냈다면 이런 규모의 도시는 곧바로 파괴할 수 있었다.

"인원을 모으라고 해도, 여기 온 사람들은 미묘하잖아요. 이 도시에 남아있는 사람들은 싸울 수 있을지조차 알 수 없고요."

멀쩡한 남자들이 거의 남지 않은 도시다.

사기는 낮고, 경험도 적고, 도시는 너덜너덜.

이미 외통수라고밖에 보이지 않는다.

"별로 말하고 싶지 않은데, 루카와 어머니만 데리고 도망치는 게 좋지 않을까요?"

2대가 즉시 부정했다.

『안 돼. 네가 평생 돌봐줄 거냐? 게다가…… 그런 아이와 어머니가 다른 곳에 가서 멀쩡하게 살 수 있으리라 생각하지 마라.』

6대도 동의했다.

『그 말이 옳아. 덤으로 도망치는 건 추천하지 않는다. 왜냐하면, 그리폰이 보기에는 사냥감이 대량으로 찾아온 셈이니까. 놓치지 않으려 할 거고— 끈질길 거다.』

도시에서 조금 떨어진 장소.

짐마차에 탄 리오넬은 동료들에게 외치고 있었다.

"서둘러! 서둘러 도망쳐야 해!"

동료와 함께 센트럴로 도망치기 위해, 겁을 집어먹고 주변을 경계하며 걸었다.

날이 밝기 전에 도시를 나와서, 벌써 낮이 되어가고 있었다.

"검이나 창으로 그 녀석들한테 이길 수 있겠냐고."

"빌어먹을. 빌어먹을…… 모처럼 출세할 기회였는데."

"함께하기만 해도 출세할 수 있다고 했잖아!"

리오넬이 외쳤다.

"너희들, 죽고 싶은 거냐! 빨리 도망치자고!"

짐마차 밖에서 걷던 청년이 그걸 듣고 리오넬에게 반박했다.

"혼자 짐마차에 타고 있으면서! 그럼 너도 내려서 걸으면 되잖아!"

"이, 이건 도리스에게 빌린 물건이야! 게다가, 짐마차를 버리면 식량도 옮길 수 없잖아!"

동료끼리 말다툼을 하며 발을 멈췄을 때였다.

태양빛이 가로막히면서 갑자기 그림자가 생겼다.

동료 한 명이 고개를 들더니, 들고 있던 창을 떨어뜨렸다.

"이봐, 무기를 버리지 말라고. 그것도 빌린 물건…… 왜, 왜 그래?"

고개를 든 리오넬의 목구멍에서 「히익!」 하는 소리가 나왔다.

태양을 가로막고 그림자를 만든 것은, 히포그리프였다.

리오넬 일행을 내려다보며, 고개를 들더니 크게 울었다. 울음소리는 넓게 퍼졌고, 지면에 있던 리오넬 일행은 울음소리가 너무 커서 귀가 아파졌다.

동료 한 명이 외쳤다.

"이, 이봐!"

어느새 리오넬 일행 주변에 마물들이 우글우글 나타나기 시작했다.

지금부터 나아가려는 길을 막고, 좌우에서도 나타나고 있다.

히포그리프는 그대로 내려와서 동료 한 명을 짓밟았다. 앞다리는 새의 다리다. 짓밟아서 움켜쥐자, 동료가 입에서 피를 뿜었다.

"사, 살려—줘."

살이나 뼈가 뭉개지는 소리가 들린다. 동료들은 손 하나 까딱할 수 없었다.

짐마차를 끄는 말이 공포에 질린 나머지 날뛰었다. 히포그리프는 독수리 부리를 들어 그 목에 달려들었다.

그 광경을 짐마차에서 지켜본 리오넬은······.

"히야아아아아아악!!"

그렇게 절규하면서 짐마차에서 뛰어내려 그대로 도망쳤다.

동료들이 그를 따라 도망치자, 마물들이 쫓아왔다. 발이 빠른 개를 닮은 마물에게 따라잡힌 동료 한 명이 탈락했다.

"두고 가지 말아줘! 살려줘. 살려줘—!"

리오넬은 자기가 입은 갑옷을 벗어 던지고 달렸다. 동료들도 흉내 내서 무구를 버리고 달렸다.

도망쳐온 길을 되돌아와서 겨우 벽이 있는 도시에 도착하자······ 동료는 다섯 명까지 줄어있었다—.

도시를 도망친 녀석들이 있었다.

그게 리오넬이라고 들어서, 그 녀석은 대체 뭘 하는 거냐는 불만이 튀어나왔다. 그러나 3대가 『어라? 라이엘도 도망치자는 말을 했잖아?』라고 야유를 가득 담은 말을 해서 입을 다물었다.

그러나 문제는 도망친 녀석들이 있다는 사실과, 도망칠 수 없었다는 사실이 동시에 판명되었다는 것이다.

도시 주민, 그리고 토벌대에게는 안 좋은 소식이다.

광장에는 무구를 버리고 도망쳐온 리오넬 일행이 앉아있었다.

노웸이 차가운 시선을 보냈다.

"노웸은 리오넬을 싫어해? 아니, 나도 좋아하지는 않지만."

"싫어하지는 않아요. 그저 좋아하지는 않네요."

미묘한 대답. 그러나 노웸이 이렇게나 개인을 거부하는 태도를 보이는 건 드물다.

모리스 씨가 노마 씨에게 의견을 요구했다.

"이대로는 도망칠 수도 없습니다. 대장님, 각오를 하셔야 합니다."

"가, 각오? 무슨 각오냐! 나는 싫다. 나는 이런 곳에서⋯⋯ 이런 곳에서 죽을 수 없어! 그, 그래. 모리스. 네가 미끼가 되어라! 나는 이 상황을 왕도에 알리겠다. 으, 응. 그래. 그게 좋겠군. 그러면 도망친 것은 되지 않아. 나는 살 수 있어."

혼란에 빠졌는지, 노마 씨는 자기만 살고 싶다는 마음을 숨기려고도 하지 않았다. 그걸 들은 부하가 어떻게 생각할지는 고려하지도 않고 있다.

5대가 중얼거렸다.

『……죽일까.』

내가 보옥을 움켜쥐자, 7대가 설명해주었다.

『뭘 하려고 해도 지금의 노마는 방해밖에 되지 않는다는 뜻이다. 잘 들어라, 라이엘…… 전장에서는 아군에게 살해당하는 일도 적지 않아. 무능한 지휘관은 전체를 위험에 빠뜨린다. 그런 지휘관은 없는 게 낫다고 생각하지 않느냐?』

착란에 빠진 노마 씨를 보면, 확실히 멀쩡한 지휘가 가능한 상태로 보이지는 않는다.

모리스 씨가 억지로 노마 씨를 데려갔고, 자리는 해산하게 되었다.

3대는 냉정했다.

평소보다도 차가운 말투로 말했다.

『모리스로는 판단을 내릴 수 없을 거야. 우유부단한 구석이 있으니, 이대로 가면 아무런 대책도 세우지 못하고 전멸해. 노마가 지휘권을 넘겨줄 것 같지는 않고…… 그럼, 죽어달라고 할 수밖에 없겠네.』

아니아니, 그렇게 극단적으로 갈 필요는 없지 않을까. 내가 그렇게 생각하는 걸 4대가 알아챘는지, 반대로 내게 단호한 말을 던졌다.

『라이엘. 지휘관이란 그 정도의 지위인 겁니다. 때로는 부하에게 죽으라고 명령해야 할 때도 있어요. 그 정도의 권한과 보수를 받으면서, 여차할 때 도움이 되지 못해서는 언어도단입니다. 출세를 바라고, 상응하는 지위를 원한다면 각오도 필요합니다. 그러지 못하는 무능한 자는 출세해봤자 해악이죠. 라이엘. 다정함은 미덕이지만, 죽이지 않는다는 선택은 노마 한 명을 위해 이 자리에 있는 전원이 죽으라고 말하는 거나 다름없어요.』

5대도 엄격했다.

『어울리지 않는 지위를 원한 노마의 잘못이야. 뭐, 그런 녀석이니까 이런 자리에 오게 된 거겠지. 라이엘, 네가 하지 않아도 어차피 죽어. 앞으로를 위해서 없애버려.』

노마 씨는 내게 지휘권을 넘겨주지 않을 거다. 그게 역대 당주들의 의견이었다. 게다가 노마 씨가 있어서는 전체가 규합되지 않는다.

말하고자 하는 바는 알겠다. 알고는 있지만…….

"……노웸. 노마 씨와 할 말이 있어."

노웸은 고개를 끄덕였다.

"네, 라이엘 님."

보옥 안에서는 전원이 각오가 부족하다고 말하며 어이없어 했다.

노웸을 데리고 노마 씨가 숙소로 쓰고 있는 여관으로 향했다.

리오넬 건은 순식간에 알려져서, 도시 주민도 병사들도 기분이 어둡게 가라앉아 있다.

길거리에 주저앉은 중년 남성이 중얼중얼 투덜댔다.

"히포그리프라고 했잖아. 나는…… 나는 출세해서, 그 녀석을 편하게 살게 해주고 싶었을 뿐인데."

다른 곳에서는 지원한 병사들이 원형을 만들어서 불만을 토로하고 있었다.

"들었어? 왕궁은 처음부터 그리폰이 있다는 걸 알고 있었대. 우리는 버림패인 거야."

"……말석의 무직은 왕궁이 보기에는 쓰레기나 다름없는 건가."

"그렇겠지."

"우리가 죽어봤자, 왕궁 녀석들은 차나 마시면서 웃음거리로 넘길 거야. 이럴 바에는 빈곤한 집에서 느긋하게 살아가면 좋았을 텐데. 어울리지 않게 출세하려고 하니까 이 꼴이야."

"나는 부모님이나 형님한테 공적을 세울 때까지 집에 돌아오지 말라면서 쫓겨났다고. 불길한 예감은 들었어. 빌어먹을! 왕궁 녀석들도, 부모도 망할 형님도 죽어버려!"

아슬아슬하게 세습할 수 있는 지위를 가진 귀족들이 모여서 투덜대고 있다.

그런 병사들에게 주민이 매도를 퍼부었다.

"웃기지 마! 우리가 어떤 심정으로 지금까지 기다린 줄 알기나 하는 거냐!"

"맞아! 겨우…… 겨우 구해주러 온 줄 알았는데, 이놈이고 저놈이고 얼간이들뿐이잖아! 싸우라고! 너희가 할 일이잖아!"

"우리 남편은 구하러 와줄 때까지 필사적으로 싸우다 죽었어! 그런데도 당신들은……."

병사가 나불나불 대답했다.

"그래서 어쩌라고? 어차피 우리도 너희도 왕궁에— 나라에 버림받았다고! 애초에 그리폰에게 이길 수 있겠냐! 우리는 모두 도망치지도 못한 채 희롱당하며 죽는다고!"

그 말을 듣자, 주민들도 아연실색하며 낯빛을 잃었다. 주변에서는 싸우는 사람도 있었다.

토벌대와 주민 사이에 도랑이 생기고 있었다.

노웸이 중얼거렸다.

"적어도 노마 씨가 똑바로 해줬다면 좋았을 텐데요."

나는 동의할 수밖에 없었다.

"그러게. 똑바로 해줬다면…… 나도 고생하지 않았을 텐데."

버림받은 우리.

버림받은 도시.

왕궁에서 잘라내버린 지오나라는 토지.

분명 왕궁에는 별 피해도 아니겠지. 그러나 버림받은 쪽에서 납득할 리가 없다.

"해보자고. ……후회하게 해주겠어."

기사들이 숙박하는 도시 여관.

그곳의 어느 방에서 모리스가 노마와 이야기를 나누고 있었다.

"싫어. 죽고 싶지 않아. 나는 출세해서……."

머리가 헝클어졌고, 안색도 나쁜 노마를 본 모리스는 내심

한숨을 내쉬었다.

'이 사람도 실력은 있는데……'

무능하지는 않지만, 너무 자기중심적이라 동료들에게는 미움을 받았다. 게다가 노골적인 뇌물도 기꺼이 받고, 주변에도 요구한다.

외모는 나쁘지 않고, 힘 있는 상사에게는 아양을 떨어서 십기장이 되었다.

그러나 노마를 싫어하는 기사들은 많다. 공적을 빼앗긴 기사도 있거니와, 거짓말로 욕을 먹고, 상사에게 올바른 평가를 받지 못한 기사도 있다.

자신의 출세를 위해서 뭐든지 하는 노마는 아무리 생각해도 지나쳤다.

'평범하게 지냈다면, 지금쯤은 백기장이 되었을지도 모르건만.'

검과 마법 실력도 나쁘지 않다. 노마는 기사로서 성공할 실력이 있는데도 그 성격이 화근이 되어 반대로 출세의 발목을 잡고 있었다.

"대장님. 여기서 싸우는 건 위험합니다. 돌아가봤자 왕궁은 대장님을 질책할 겁니다."

"바보 같은 소리 하지 마라! 그리폰이 있다는 건 몰랐어. 서둘러 왕궁에 알리는 건 의무야. 그래, 의무라고. 그러니 당장 출발 준비를—"

"그만 좀 하십시오!"

평소에는 온화한 모리스가 마침내 고함을 쳤다. 노마는 말문이 막혀서 입을 뻐끔거렸다.

"아직도 모르시는 겁니까? 우리는 왕궁에 버려진 겁니다. 그리폰이 나왔다는 건 도시의 주민이 보고했습니다. 관리도 왕도로 도망쳐서 상황을 보고했을 겁니다. 그런데도 진심으로 왕궁이 몰랐다고 생각하십니까?"

모리스는 기사장. 반세임 왕국에서는 기사의 상위 계급이다.

그 위가 십기장, 백기장으로 계급이 올라간다.

기사로서 엘리트 코스를 걸었다고 말할 수는 없지만, 오랜 세월 기사로 일해왔다.

여러 소문도 들을 수 있기에, 왕궁이 무슨 생각을 하는지 짐작할 수도 있었다.

'최근 상층부에서는 무직인 가문이 늘어난 것을 문제시하고 있었지. 아마 그런 것일 터.'

반세임 왕국은 이번 일을 이용하려 한 것이리라.

오합지졸 토벌대가 패배하더라도 정규군— 정예를 투입하면 문제없다. 오히려 토벌대가 전멸하는 것조차 선전에 이용할 것이다.

그런 흉악한 마물을 정예 정규군이 쓰러뜨린다면, 왕도에서 대대적으로 선전할 수 있는 이야기다.

"대장님. 우리는 버림패입니다. 돌아가봤자 대장님에게는 지위도 명예도 없습니다."

노마는 고개를 가로저었다.

"거짓말이야. 나는! 나는 뇌물도 빼먹지 않고 위에 전달했어! 내가 어째서 이런 꼴을 당해야 하는 거냐! 나는—."

동료에게 미움받았다. 그게 전부다.

상사도 노마처럼 주변의 미움을 받는 기사를 특별시하는 건 위험하다. 다른 부하들이 불만을 품게 되니까.

모리스는 마음속으로 각오를 다졌다.

'아무래도 돌아갈 수는 없겠어. 뭐, 자식들도 이미 장성했으니까. 분명 괜찮겠지.'

노마에게 지휘권을 빼앗는다는 생각은 없었던 모리스는 왕도에 남겨둔 가족을 생각하고 있었다.

그러자, 문을 노크하는 소리가 들렸다.

방에 들어가기 전부터 비명 같은 소리가 들려오고, 비장함이 감돌았다.

안내를 부탁한 기사도 어딘가 의욕이 없고 태도도 좋지 않다. 나를 노마 씨의 방 앞까지 안내하고는 그대로 어딘가로 떠나버렸다.

노웸은 내 대각선 뒤쪽에서 대기하고 있다.

"라이엘 님. 어떤 판단을 내리셔도 저는 라이엘 님의 의견을 존중해요."

각오를 다진 노웸의 시선이 따갑다.

분명 내가 노마 씨를 죽여서라도 지휘권을 빼앗아오리라 생각한 거겠지. 경우에 따라서는, 규합하는 역할을 맡은 모리스 씨도 죽여야 할지도 모른다.

……그런 건 싫다.

"대화하러 왔을 뿐이야. 착각하지는 마."

"주제넘은 말씀을 드렸네요. 죄송합니다."

노웸도 영주 귀족 출신의 아이다.

어쩌면, 나 이상으로 각오를 다진 걸지도 모른다.

노크를 하고 방으로 들어가자, 노마 씨가 침대에 앉아 떨면서 자기를 끌어안고 있었다. 모리스 씨도 안색이 나쁘다.

3대는 느긋했다.

『이 자리만 보면, 왠지 모리스가 노마에게 비열한 짓을 했다는 느낌이 드네.』

좀 더 긴장감을 가졌으면 좋겠다.

"―라이엘, 뭔가 볼일이 있나? 미안하지만, 지금은 상담을 받아줄 여유는 없어. 나중에 와주겠나?"

모리스 씨가 미안한 듯이 말을 걸어왔지만, 나는 노마 씨를 바라봤다.

"할 맘이 없으면 지휘권을 내게 넘겨주지 않겠어?"

"……모험가 따위가 무슨 잘난 척을."

노마 씨가 노려봤다. 머리가 흐트러지고 안색도 좋지 않은 여성이 노려보는 건 왠지 무척 무섭다.

"히포그리프로는 의욕이 안 생기고 있었거든. 근데 그리폰을 퇴치하기만 하는 거면 문제없지만, 이대로 가면 도시를 지킬 수가 없어."

"그리폰을 쓰러뜨린다고? 쓰러뜨린 적이 있나?"

"아니, 없지."

"그럼 닥치고 있어라. 네 영웅 소망에 어울려줄 수 있을 것 같으냐."

노마 씨와는 말이 안 통한다.

모리스 씨에게 시선을 보내자, 매달리는 표정으로 물었다.

"자네는— 그리폰을 이길 수 있다는 건가?"

"이길 수 있어요. 단지, 그것만으로는 도시를 지켜낼 수 없죠. 제가 받은 의뢰는 그리폰 토벌과 도시를 지키는 것. 도시를 지키지 못하는 건 문제니까요."

그리폰은 이길 수 있다. 나는 그렇게 단언했지만, 내심으로는 어떻게 될지 모른다는 게 본심이다. 그러나 단언할 수밖에 없었다.

6대는 즐거워 보였다.

『잘하고 있다. 상대가 믿으면 우리의 승리야! 모리스는 아군으로 끌어들이고 싶으니까. 단, 노마는 안 돼!』

나는 모리스 씨에게 말을 이었다.

"도시에 있는 건 여기로 데려온 토벌대. 게다가 도시에는 적다고는 해도 500명에 가까운 인원이 있어요. 지금부터 움직이면 마물에게 대항할 수 있겠죠."

주민 500명 중 대부분이 싸울 수 없는 여자, 아이, 노인이다. 그래도 500명이라는 숫자는 크다. 마물이 천이라는 숫자더라도 어떻게든 해볼 수 있을 것 같은 숫자다.

"하지만 데려온 병사를 봤을 텐데. 도저히 멀쩡히 싸울 수는 없어."

"어떻게 하느냐에 달렸죠. 저라면 반드시 이깁니다."

"방어전의 경험은?"

"없어요."

"그럼—."

나는 다부지게 웃었다.

"제 이름은 라이엘. 라이엘 월트— 월트 백작가의 장남입니다. 괜찮아요, 방어전을 어떻게 하는지는 배웠으니까요."

"아, 아니, 배운 것만으로는…… 게다가, 실전은 무슨 일이 일어날지 알 수 없어. 공부만으로는 어찌할 수가 없다고."

유감이지만, 내가 가진 보옥에는 경험 풍부한 사악한 녀석들이 모여있다. 그야말로, 월트 가의 역사 그 자체가 담겨있으니까.

나는 말투를 조금 강압적으로 바꾸었다.

"그럼, 당신이라면 이길 수 있는 건가?"

"……아, 아니, 그건."

"나는 이길 방법을 알아. 이기지 못하면— 지켜내지 못하면 보수를 받을 수 없으니까."

"……하지만, 지휘권을 넘겨주는 건 곤란해. 사, 상담자로 협력해줄 수는 없겠나?"

"안 돼. 지휘권이 필요해. 그걸 위해서라면……."

말을 끊고 모리스 씨를 빤히 바라봤다. 모리스 씨의 이마에 식은땀이 흘렀다. 내 말이 뭔지 이해한 거겠지.

"게다가…… 당신들은 이대로 괜찮은 건가?"

"뭐?"

"왕궁에 속아서 사지로 보내졌지. 도망치더라도 처분당할 미래가 기다리고 있고. 이대로 싸워봤자 못 이겨. 기다리는 건 비참한 최후야. 그래도 괜찮으냐고 묻고 있는 거야."

"조, 좋지는 않지만. 이 상황에서 대체 어떻게 해야……."

"나한테 맡기라고. 이기게 해줄 테니까."

보옥 안은 조용했다. 방 안도, 내 말을 기다리고 있는지 조용하다. 노마 씨도 아무 말이 없었다.

"그리폰 퇴치. 도시 방어. 그 두 가지를 해내지 않는 한 나도 당신들도 미래가 없어. 알겠어?"

딱히 도망쳐도 상관은 없지만, 우리만 도망치는 것도 마음에 걸린다. 애초에…… 역대 당주들이 그걸 용납하지 않는다.

"이 상황을 호전시킬 좋은 방법이 있어. 도시를 지키고 그리폰도 토벌하는 거지. 그대로 우리는 당당하게 왕도로 개선하면 돼. 왕궁의 쓰레기들에게 웃으면서 승리를 보고하자고. 전멸할 줄 알았던 우리가 영웅이 되어 귀환하는 건 최고의 앙갚음이겠지! 녀석들이 분통해하는 얼굴을 지켜보자고."

랄프 씨. 아니, 랄프 녀석에게 말해주고 싶다.

이야~ 그리폰이 나와서 고생했어요, 라고.

그 녀석의 꿍꿍이를 박살내주고 싶다.

모리스 씨가 숨을 삼켰다.

"그걸 위해서는 지휘권이 필요해. 내게 맡기면 전원을 영웅으로 만들어주겠어. 출세도 보수도 기대해도 좋아. 그도 그럴 것이 그리폰 퇴치니까. 왕궁도 대대적으로 환대해주겠지."

그리폰 퇴치를 이뤄낸 집단을 환대하지 않을 수는 없다. 기사들이 보기에 그리폰을 퇴치했는데도 아무런 보수도 없고, 출세도 못하면 의욕이 생기지 않을 테니까. 나라로서의 품격도 의심받는다.

그러니 싫어도 우리를 환대할 거다. 억지 미소를 짓는 녀석들의 얼굴을 감상해주마.

그게 최고의 복수가 될 테니까.

모리스 씨의 말을 기다리고 있는데—.

"이, 이봐. 정말이겠지?"

—뒤에서 목소리가 들려왔다.

노마 씨가 일어났다.

"정말로 영웅으로 만들어주는 거겠지?"

나는 약간 놀라면서도 수긍했다.

"그, 그럼요. 단, 토벌한 그리폰은 내가 가져갑니다. 비싸게 팔 수 있으니까요. 그 대신, 그리폰 토벌을 이뤄낸 것은 그쪽의 공적으로 조절—."

"좋아! 지휘권을 주마!"

모리스 씨가 턱이 빠진 게 아닌가 싶을 만큼 입을 크게 벌리며 외쳤다.

"대장니이이임! 당신 대체 무슨 소리를 하는 겁니까아아아!"

"시, 시끄러워! 해준다면 상관없잖나. 이 녀석이 일하고, 나는 그 성과를 받는다! 이 녀석이 제안한 일이야!"

아무리 나라도 이런 전개는 예상하지 못했다. 모리스 씨를 설득해서 어떻게든 노마를 설득해달라고 부탁할 생각이었는데.

노웸도 미묘한 표정을 지었다.

"……지휘권을 넘겨주는 게 무섭지 않은 건가요?"

노마 씨는 노웸의 의견을 코웃음 쳤다.

"어차피 여기서 죽을 가능성이 더 높아. 게다가, 난 저런 바보들을 보살펴주는 건 사양이다. 오히려 명령한다면 불평만 늘어놓으며 덮쳐올 것 같거든. 게다가 지휘권을 가져봤자 나를 따라오는 부하는 없어! 잘 생각해 보니 이 방법이 제일 낫지 않나? 왜냐하면 너는 모험가니까. 사태가 끝나면 어차피 병사들은 내게 돌아오지. 솔직히 정규 기사도 병사도 아닌 녀석들은 필요 없으니까 데려가도 좋아."

"……아뇨, 사양하죠."

모리스 씨가 양손으로 얼굴을 덮었다.

"대장님. 당신이란 사람은……."

보옥 안의 역대 당주들도 아연실색했다.

『이 녀석 실은 거물인가? 병사를 빼앗으면 자기가 죽을 수도 있다는 생각이 없는 건가?』

『이야~ 확실히 이 상황이라면 말도 안 되는 일은 아니지만, 바로 넘겨줘 버리네.』

『확실히 노마를 따르는 병사는 없겠죠. 미심쩍은 건 리오넬 정도일까요?』

『도망친 녀석의 말에 귀를 기울이는 녀석은 없겠지.』

『으~음, 노마 녀석…… 단련하면 훌륭한 기사가 될 수 있지 않을까요?』

『지도자 운이 나빴을 가능성은 있습니다만, 지금은 그보다도 그리폰에 관한 일이 우선입니다.』

……뭐, 아무튼.

노마 씨를 죽이지 않아도 돼서 다행이다.

노마 씨, 모리스 씨에게는 부하들의 설득을 부탁했다.

나는 노웸과 함께 도시 사람들을 규합하는 팻 씨에게 발을 옮겼다.

어두운 표정인 팻 씨에게 내가 지휘를 맡게 되었다고 전하기 위해서다. 그러나 팻 씨는 그 말을 듣고도 「그렇습니까」라고 말할 뿐이었다.

나는 팻 씨에게 협력을 요청했다.

"이 도시를 지키고 싶어. 협력해주지 않겠어?"

"협력해달라고 하셔도, 남자도 적고 다들 지쳤습니다. 이 이상 대체 어떻게 하라는 겁니까? 게다가 그리폰을 퇴치해봤자 이미 도시의 부흥은 절망적입니다."

2대가 내게 말을 걸어왔다.

『뭐, 여기서 이겨봤자 우리는 그것으로 끝이야. 하지만 주민들은 여기 남아서 부흥을 해야 하니까. 이렇게나 너덜너덜해지면 기력도 나오지 않겠지.』

이럴 때의 특효약이 있다.

나는 가죽 주머니에 가득 든 금화를 탁상 위에 올려놨다.

팻 씨의 안색이 변했다.

"이, 이건?"

"협력을 부탁하는 대가죠. 물론 애써준 주민들에게는 추가 보수도 내겠어요. 향후 부흥을 위한 돈은 있는 게 낫겠죠?"

팻 씨는 고개를 수없이 끄덕였다.

"네, 넵! 감사합니다! 바로 도시 사람들을 모아서 협력하자고 부탁하겠습니다."

"그리고, 잠시 부탁할 게 있는데요."

"뭡니까?"

나는 루카를 시종으로 빌려줬으면 좋겠다고 요청했다.

"그리고 또 하나. 이쪽은 별도로 보수를 내겠습니다."

"또 뭔가 있습니까?"

마지막으로 하나만 더 부탁한 나는 준비를 마쳤다.

도시 광장.

모여든 것은 토벌대와 주민들. 그 밖에는 도시 주변에서 도망친 사람들이 광장에 몰려있었다.

단, 멀쩡하게 싸울 수 있는 인원은 200명에도 미치지 못한다.

적과의 전력차는 다섯 배다. 벽도 너덜너덜한 도시를 지키는 건 불가능에 가깝다.

그런 광장에 단상을 마련한 나는 전원을 내려다봤다.

"지금부터 지휘를 맡게 될 라이엘 월트다."

조용해진 광장에서는 아직 나를 의심하는 사람들도 많다. 돈을 받은 주민들은 몰라도 토벌대는 갑자기 지휘관 변경을 소식을 들었으니 나를 믿을 수가 없겠지.

싸우는 모습을 한 번 보여주긴 했지만, 그래도 그리폰이 상대라면 불안할 거다.

"처음에 말해두고 싶은 게 있다. ……나는 지위도 명예도, 그리고 돈도 여자도 정말 좋아한다!"

사람들이 아연실색했다.

대체 내가 무슨 소리를 하는 건지 이해하지 못하겠지.

어떻게 내가 그리폰을 쓰러뜨릴지 들으려 한 청중들은 어안이 벙벙해졌다.

모니카가 전원이 바라보는 단상 위에서 상자에 든 금화를 꺼내 산을 쌓았다. 금화가 점점 쌓이자 전원의 시선이 쏟아졌다.

이어서 「무대」에 오른 것은 선정적인 의상을 입은 에바 씨와 미란다 씨다.

에바 씨는 공연할 때 입는 의상.

미란다 씨는 에바 씨에게 의상을 빌렸다.

노출이 많고, 까놓고 말해서 자극이 심한 차림새다.

올라온 두 사람을 양옆에 끼고, 어깨를 안아서 끌어당겼다. 두 사람은 내가 안고 허리를 감았는데도 꺼리는 모습을 보이지 않았다. 내 팔을 부여잡을 정도다.

"돈도 여자도 손에 넣었다. 남은 건 명예와 지위다. 나는 그리폰을 퇴치하고, 명예도 손에 넣을 거다. 나를 따라오면, 너희에게도 호강을 시켜주마."

청중들이 웅성거렸다.

애초에 왜 내가 진지하게 연설을 하지 않느냐면…… 진지하게 해봤자 나의 나이, 그리고 태도를 보게 되면 아무도 나를 믿지 않기 때문이다.

내가 지휘를 맡는 것보다는 나이가 40대에서 50대, 경험이 나름 풍부해 보이는 남성이 나오는 게 모두가 기뻐한다. 나에게는 그런 역전의 강자처럼 보이는 품격이 없다.

설령 나보다 능력이 뒤떨어지더라도, 아무것도 모르는 청중은 나보다 경험이 풍부해 보이는 남자를 지휘관으로 고를 것이다.

즉, 나는 연령적으로 미덥지 못한 거다.

그럼 의표를 찌를 수밖에 없다.

하지만 그때, 리오넬이 목소리를 높였다.

"그, 그런 건 거짓말이 분명해. 그리폰을 이길 수 있을 리가 없어."

맞아맞아, 하는 작은 목소리가 들렸다.

저 녀석은 정말로 방해밖에 안 되네.

"그럼 떨면서 숨어있어. 방해만 하지 마라. 하지만, 나를 따라오는 녀석은 그리폰 퇴치의 명예를 손에 넣을 수 있을 거다."

눈을 반짝이는 녀석들이 있었다.

대량의 금화는 수백 닢 수준이 아니다. 아무튼, 아람사스를 나가기 전에 포터의 설계도를 학원에 팔았으니까.

데미언의 조언 덕분에 나는 금화를 대량으로 손에 넣었다.

"하지만, 그것만으로는 재미없겠지? 갖고 싶지 않나? ⋯⋯
이 쌓여있는 금화 말이야."

누군가가 꿀꺽 침을 삼켰다.

이만큼의 돈이 있으면 평생 자유롭게 살 수 있다.

그만큼의 금화가 있다.

"⋯⋯주도록 하지. 나를 따라온다면 보수를 주마. 마물 한
마리에 금화 한 닢이다. 히포그리프를 처치한다면 금화 50닢
을 주겠어. 아참, 그리폰은 내 사냥감이니까 손대지 말라고."

어떤 마물이든 금화 한 닢. 이건 파격적인 조건이라 할 수
있다.

누군가가 말했다.

"저, 정말로 줄 거냐!"

"그래, 줄 거다. 돈은 또 벌면 돼. 그리폰 퇴치의 명예를 손
에 넣을 수 있다면 싼 거지."

건장한 남자들. 그 외에도 장년이나 초로의 남성들. 그리고
여성들도 점점 눈을 반짝였다. 금화의 산을 눈앞에서 보고 욕
망이 자극된 것이다.

그래도 여전히 저항하는 녀석— 리오넬이 말했다.

"그렇게 말하며 속일 셈이지! 어차피 이기지 못하니까 자포
자기했을 뿐이야!"

부정적인 녀석이다.

그러나 나는 여유로운 미소를 무너뜨리지 않았다.

뻔뻔스럽게, 음흉하게, 사악한 미소를 지었다.

"자포자기? 아니지. 내게는 승산이 있어. 그리고 내 실력은 눈앞에 있는 금화가 증명해주고 있잖아. 나는 모험가야. 원래는 백작가의 후계자. 가문에서는 쫓겨났지만, 모험가 되어서 이렇게나 벌었다. 이 금화는 내가 쓰러뜨린 마물에게서 얻은 재산이다! 나는 모험가가 되어 수많은 마물을 쓰러뜨려 왔다고!"

응성응성 들려오는 건, 토벌대에 참가한 병사들의 목소리다.

"그, 그러고 보니 엄청 커다란 뱀을 쓰러뜨렸잖아."

"동료도 굉장히 강했어."

"어쩌면 정말로 이길 수 있는 건가?"

나는 대량의 금화를 증거로 삼아서 이렇게나 성공했다는 것을 설명했다.

"돈이 갖고 싶나?"

어딘가에서 크게 외치는 소리가 들렸다.

"가, 갖고 싶어!"

"그럼 싸워! 그리고 모든 것을 손에 넣어라! 명예를 손에 넣어라. 지위를 손에 넣어라. 돈을 손에 넣어라. 여자를 손에 넣어라! 그리폰을 쓰러뜨린 영웅이라고. 후세에까지 이어질 명예 아니냐!"

"할게! 나는 하겠어!"

"나도 하겠어. 떨고 있을 여유는 없다고!"

"나, 나도 참가할래!"

이후에 계속해서 목소리가 터져 나오며 광장이 열기에 휩싸였다.

미리 준비해놓은— 바람잡이가 도움이 되었다.

그렇다. 모든 것은 허풍이다.

애초에 대량의 금화는 포터의 설계도를 팔아서 입수한 것이다.

여자 운운하는 이야기도 이번에는 연기를 해달라고 부탁했다. 에바 씨는 익숙할 거고, 미란다 씨도 이 정도는 해줄 수 있다.

반대로 클라라 씨는 무리다. 아리아 씨나 소피아 씨도 분명 어색한 미소를 지었겠지. 애초에 해주지도 않았겠지만.

모니카는 메이드복을 벗으려 하지 않고, 샤논은 논외다.

그리고 노엠에게는 여러 일을 맡겼다.

두 사람에게 부탁할 수밖에 없었다.

3대가 환희했다.

『아핫! 엄청 간단하네! 이대로 일을 분배해주자고! 마물의 군세와 싸우는 건 두근두근하다니까!』

평소에는 신중한 소리를 하는 주제에, 왜 이럴 때만 즐거워하는지 이해하기 힘들다.

6대도 텐션이 높았다.

『자, 라이엘— 지금부터 즐거운 시간이 시작된다아아!』

제72화 계약

―노웸은 대량의 종이를 준비하고 있었다.

바깥에 책상과 의자를 놓고, 아리아와 소피아도 나란히 앉았다. 두 사람 모두 손이 잉크로 더러워졌다.

소피아는 피곤한 표정이었다.

"이, 이렇게 많은 서류를 준비하는 건 익숙하지 않은데요."

노웸은 계약서를 만들고 있었다. 그곳에는 라이엘이 고용하는 조건이 적혀있다.

아리아도 몹시 피곤해했다.

"이제 싫어. 이런 작업은 싫다고. 모니카한테 시키면 될 텐데. 클라라는 서류를 준비한다고 어디로 가버렸고……."

노웸은 살짝 한숨을 내쉬었다.

"클라라 씨는 사람과 이야기하는 걸 거북해하시니까요. 대응은 저만 할게요. 그리고 두 분도 이런 일을 익혀두세요. 자, 슬슬 사람이 와요."

샤논은 그런 세 사람 옆에서 간판을 들고 목소리를 내고 있었다.

"싸우고 싶은 사람은 이쪽에 줄을 서."

라이엘의 연설이 끝나자, 사람의 파도가 일제히 몰려왔다.

처음 온 것은 갑옷을 입은 기사였다.

"이봐. 기사라도 보수를 주는 거겠지?!"

노웸은 웃으며 대응했다.

"네. 어떤 마물이라도 쓰러뜨리면 금화 한 닢이에요."

"한다! 계약하겠어!"

"그럼, 라이엘 님의 명령을 따르겠다는 계약서에 사인을 해주세요."

"쓰겠어. 당장 쓰겠어. 그 노마 밑에서 일하는 것보다는 나아!"

아리아에게는 중년의 아줌마가 왔다.

"저기, 여자라도 보수를 주는 거니?"

"그, 그게…… 일이 있으니까, 그쪽을 도와주신다면 이 정도 금액으로—."

"하겠어. 잠깐만, 아들이나 딸은 어떠니? 이제 열 살이니까, 심부름 정도는 할 수 있어."

"흐, 흐음. 그 정도라면 좋아요."

소피아에게도 사람이 몇 명 왔다.

"자, 잠깐만요. 그게, 그 경우에는 말이죠—."

"누님, 빨리 좀 해달라고!"

"아뇨, 그러니까."

"이쪽은 기다리고 있다고!"

소피아는 글을 읽지 못하는 사람에게 설명하면서 사인을 해줘야 하는 익숙하지 않은 일에 고생했지만, 그래도 노력했다.

리오넬 일행은 광장에서 떨어진 곳에 있었다.

라이엘이 지휘를 맡게 되었다. 그런 말을 듣자, 리오넬은 참을 수가 없었다.

"어째서 저 녀석이냐고. 어째서……."

행군 중 마물을 쓰러뜨리는 모습을 봤을 때부터, 리오넬은 라이엘에게 초조함을 느끼고 있었다. 자기보다 강했다. 그리고 동료도 우수했다.

예쁜 동료들을 거느리고 있는 것도 짜증이 났다. 본 적도 없는 탈것을 타고, 모두의 시선을 모으는 것도 화가 치솟았다.

리오넬은 자신이 가지고 있지 않은 것을 가진 라이엘에게 질투하고 있었다.

자신들은 동료를 잃고, 의기소침해서 고개만 숙이고 있을 뿐이건만.

그런 가운데, 한 명이 일어섰다.

"미안하지만, 나는 참가하겠어."

"뭐? 너, 그런 녀석 밑에서 싸우려는 거냐. 그 녀석은 귀족이 아니라고."

"……그게, 상관있는 거냐?"

리오넬이 아연실색했다.

친구는 솔직한 마음을 밝혔다.

"딱히 누구 밑이라도 좋아. 살아남아서 돈을 받을 수만 있다면 나는 그걸로 족해. 게다가, 너하고 있어봤자 돈은 받을 수 없잖아."

"이, 이봐, 생각을 고쳐."

"이제 싫다고."

"……뭐?"

"왕궁 녀석들에게 버림패 취급을 받는 건 알고 있었어. 하지만, 왜 우리가 이런 꼴을 당해야 하는 거냐고. 분하잖아."

"그, 그건!"

"애초에…… 난, 네가 싫거든."

"뭐!"

"그치만 너 혼자만 자작가 딸을 꼬드겨서 결혼한다며? 우리가 노력해봤자 네 공적이고, 너 혼자만 이득 보는 것도 마음에 안 들어."

그럴 바에는 돈을 주는 라이엘을 따르겠다고 말한 한 명이 그 자리에서 떠나자, 또 한 명이 일어나서 떠났다.

정신이 들자, 리오넬은 그 자리에 혼자 남게 되었다—.

연설을 마친 나는 바로 계획을 진행하기 위해— 밥을 지으러 갔다.

아니, 사실은 당장 작업에 들어가고 싶었다.

그러나 배가 고파서는 싸울 수가 없다.

토벌대의 식사는 역시 간소하고 맛이 없는 데다, 주민들도 불안한 나날을 보내고 있어서 식사도 제대로 하지 않았다.

아무튼 밥은 먹고 해야지.

모니카가 도시 아줌마들과 식사 준비를 하고 있다.

단지…….

"너 이상한 옷을 입고 있네."

"메이드복을 이상한 옷?! 이건 상식을 의심할 수밖에 없네요."

"게다가 그런 하늘하늘한 옷을 입고 있으면 더러워지잖니."

"안 더러워져요. 이 모니카의 의상은 최첨단—."

"어머, 냄비가 타겠어."

"들으라고!"

저 모니카가 휘둘리는 모습을 보니까, 아줌마는 굉장한 것 같다.

"라이엘. 아까는 멋있었어. 언제나 그렇게 대담하면 좋을 텐데."

미란다 씨의 목소리다. 나는 목소리 쪽으로 고개를 돌렸지만, 바로 눈을 손으로 가렸다.

미란다 씨는 에바 씨의 의상을 그대로 입고 있었다.

"갈아입고 오세요. 눈 둘 곳이 곤란하잖아요."

"아까까지는 태연했잖아."

"……그건 연기거든요."

"으~음. 좋아할 줄 알았는데. 그나저나, 앞으로는 어쩔 거야?"

음색이 진지하게 변했기에, 나는 미란다 씨에게서 시선을 뗀 채로 대화를 나눴다.

"인원을 나눠서 작업과 훈련. 그리고 무기를 만들 거예요."

벽을 보수하고 무기도 제작해야 한다. 일단 화살이 필요하다.

필요 최저한의 훈련도 하겠지만, 그 전에 편성을 고려해야 만 한다.

─그리고.

"아리아 씨와 에바 씨를 정찰로 보낼 거예요."

"아리아와 에바를?"

─도시 바깥.

아리아와 에바는 말에서 내려와 주변을 둘러봤다.

손에는 마물들이 잠복하고 있는 곳의 지도를 들고 있다.

도중까지는 말을 타고 왔고, 파괴된 집을 발견해서 그곳에 말을 맸다.

에바는 말에게 물을 주고 있다.

아리아는 그런 에바를 보며 물었다.

"꽤 익숙하네."

"예술인 극단과 함께 있었으니까. 싫어도 익히지."

"말을 타는 것도 능숙하던데. 기승 경험도 있나 봐?"

"있지. 어린 시절에는 말을 타고 영웅 흉내를 냈거든. 노래 연습하는 겸해서."

엘프는 여러모로 터프하다.

튼튼한 다리와 숲에 관한 지식을 높이 사서 정찰을 부탁한 것이다.

아리아는 어깨를 으쓱했다.

"잘 모르겠네. 이런 위험한 일을 부탁받으면 거절할 것 같은데."

에바는 씨익 웃었다.

"어머, 귀중한 경험이잖아. 게다가 생생한 그리폰 퇴치를 볼 수 있다면, 이 정도야 싼 거지."

노래를 위해, 자기만으로는 알 수 없는 이야기를 찾기 위해. 에바가 협력하는 이유를 들은 아리아는 이해하기 힘들어했다.

"엘프는 이상한 생물이네."

"실례네. 인간이 더 이상하거든. 그보다도, 이제 출발할까?"

아리아는 고개를 끄덕이며 짐에서 꾀죄죄한 갈색 로브를 들었다. 하나를 에바에게 건네주고 로브를 착용했다.

후드 달린 로브.

에바도 불평하지 않고 착용했고, 두 사람은 그대로 숲으로 나아갔다.

아리아가 감탄한 것은, 에바의 당찬 발걸음이었다. 역시 엘프구나 싶었다.

'이 사람. 숲에 들어오고 나서는 여유롭네.'

대화는 하지 않는다.

이미 숲속은 마물들의 거처나 다름없으니까.

에바가 나무 한 그루를 발견하고는 아리아에게 멈추라며 손으로 알렸다. 아리아는 에바가 가리키는 나무를 봤다.

아리아 쪽에서는 보이지 않는 위치에, 깊은 발톱 자국이 새겨져 있었다.

게다가 지면도 파였다.

'이거, 그리폰의 발톱 자국일까?'

두 사람이 신중하게 앞으로 나아가자, 주변을 경계하던 마물을 발견했다.

에바가 눈살을 찌푸렸다.

대화할 여유가 없어서 정찰을 속행하자, 숲의 나무들을 난폭하게 쓰러뜨리고 만든 광장을 발견했다.

그곳에는 오우거에 오크 같은 커다란 마물부터 고블린 같은 소형 마물까지 있었다.

중앙에는 그리폰이 있고, 히포그리프가 주변을 둘러싸고 있다.

마물들은 식량을 모아 연회를 벌이는 것처럼 보였다.

두 사람은 그 자리에서 천천히 이탈했다.

숲속에는 그 밖에도 작은 그룹이 몇 군데 있었다. 전체의 정확한 수치는 알 수 없지만, 숲이 무척 어지럽혀진 건 확실하다.

두 사람은 숲을 빠져나와 말을 매어둔 민가까지 돌아오고는 발견한 것을 이야기했다.

"최악이네. 야생동물도 거의 없었어. 그 녀석들이 전부 먹어 치운 거야."

"그러고 보니 찾을 수가 없었네."

"숲도 어지럽혀져서 참혹한 상태야. 그보다도, 저 상태라면 한동안은 괜찮겠어."

"알 수 있어? 당장 움직일 것 같지는 않았지만……."

"뭐, 그쪽은 경험이지. 바로 움직일 거였으면 훨씬 살기등등했을 테니까."

아리아는 에바를 데려온 건 정답이라고 생각했다.

'······곤란하네. 나는 정찰에서도 밀리는 건가.'

모처럼 아람사스에서 척후로서의 재능을 길렀는데, 예술인인 에바에게 밀린 것이 분했다.

"왠지 납득할 수 없다는 표정이네? 말해두는데, 정말로 한동안은 움직이지 않을 거야. 그리폰 입장에서는, 이런 말 하기는 미안하지만 놀이니까. 저 그리폰, 태어난 지 시간이 그리 오래 지나지 않은 걸지도 몰라. 무척 젊은 그리폰이야."

도시를 공격하는 것도, 그리폰에게는 놀이의 범위.

그리고 에바가 보기에 그리폰은 젊은 모양이다. 탄생이라고 해도 부모가 있다는 의미는 아니다. 마물은 처음부터 성장한 모습으로 나타난다. 태어난 시간이 오래 지나지 않고, 경계심보다도 호기심이 강해서 놀고 싶은 마음이 눈에 띄는 것이다.

"······딱히 불만인 건 아니야. 나보다 지식도 많아 보이니까, 그쪽은 불만이 없어."

에바는 허리에 손을 대고 아리아의 얼굴을 들여다봤다.

"그럼 뭔데."

"자신이 한심해서 싫어진 거야."

아리아는 그렇게 말하면서 자신의 목걸이— 붉은 옥을 들었다. 록워드 가의 가보라고 하는 붉은 옥은 라이엘의 보옥과는 다르게 아리아에게 아츠를 가르쳐주지 않았다.

"그거, 옥이지?"

에바가 흥미진진하게 바라봤다.

"쓸 수는 없지만. 왠지 옥이 인정해주지 않는 것 같아."

아리아는 바로 되돌리고는 말에 올라탔다.

그런 아리아에게 에바가 말을 걸었다.

"강한 마음은 전해지는 법이야. 좀 더 강하게 힘을 원해보는 게 어때?"

아리아는 자조하듯이 살짝 웃었다.

"몇 번이고 시험해봤어."

에바는 어깨를 으쓱하며 말에 올라탔다. 그 모습을 확인한 아리아는 둘이서 도시를 향해 돌아가기 위해 말을 몰았다.

토벌대의 물자에서 쓸만한 것은 이것뿐인가.

물자를 실은 짐마차 근처에서 나는 나무상자 위에 놓인 도구를 보고 있었다.

나란히 놓여있는 것은 노궁과 활이다.

"……적네요."

물자 확인을 위해 모리스 씨가 나를 따라왔다. 노마 씨도 옆에 있지만, 애초에 물자 상황을 파악하고 있지 않아서 도움이 되지 않았다.

이 사람, 대체 어떻게 히포그리프를 쓰러뜨리려고 했는지 물어보니까,「내려올 때 벨 수 있을 것 같아서」라고 말하더라니까.

"원래 대장님은 화살로 상처를 입힌 히포그리프가 내려오면 거기서 쓰러뜨리려고 생각하셔서요. 저를 위시한 기사들은 다소 마법도 쓸 수 있으니 그렇게 필요하지 않을 것 같았습니다."

"다른 마물은 어쩔 생각이었는데요?"

"그쪽이야 숫자로 어떻게든 밀어붙일 수 있을 것 같았죠. 실제로 그만한 위협은 아니라고 들었으니, 이 숫자조차도 처음에는 과잉 전력이라고 생각할 정도였습니다."

왕궁에서 준 정보를 토대로, 이 정도의 장비라면 어떻게든 되리라 생각한 모양이다.

4대의 목소리가 들렸다.

『모든 것이 부족하군요. 활은 훈련이 필요하고, 노궁의 장전에는 시간이 걸립니다. 자, 어떻게 할까요.』

곤란한 모양이지만, 어째서인지 목소리는 즐거워 보였다.

노마 씨가 불안해했다.

"정말로 이런 장비로 어떻게 되는 거냐? 네가 타고 온 철로 된 상자를 타고 도망치는 게 낫지 않을까?"

철로 된 상자. 포터를 말하는 거겠지.

"전원이 도망칠 수는 없고, 도망쳐봤자 포위당하면 위험해요. 도시에서 나가지 못하도록 마물들이 주변을 어슬렁거린다고 하던데요."

모리스 씨가 이마를 눌렀다.

"성가시군요. 주민을 지키면서 강행 돌파를 할 수 있다면 좋겠습니다만."

적은 그리폰. 하늘을 나는 마물이다.

아무리 생각해도 따라잡힐 거고, 도망칠 때 습격을 당하면

반드시 피해가 생긴다. 게다가 우리에게 도망친다는 선택지는
없다.

"도망치더라도 왕궁이 트집을 잡겠죠."

"그렇겠군요."

모리스 씨도 그건 알고 있었다.

도시를 둘러싼 외벽은 깔끔하지는 않지만 네모난 형태를 가
졌다.

사방에 문이 있고, 그곳에 사람을 배치해야만 한다.

누구를 어디에 배치하는가. 그것도 문제다.

2대가 고민에 잠겼다.

『싸울 수 있는 인간이 적은 것도 문제군. 노궁은 장전하는
데 시간이 걸리니까, 그리 자주 쓸 수는 없어. 숫자가 많았다
면 좋았을 텐데.』

3대는 다른 의견을 냈다.

『그런가? 이만큼 사람이 있으니까, 싸울 수 없는 사람에게
화살 장전을 시키고 장전한 노궁은 사수에게 주면 되잖아. 쏜
노궁을 통째로 교환하면 이론상은 계속 쏠 수 있으니까.』

7대는 왠지 기운이 없었다.

『……총이 있었다면 이야기는 빨랐을 겁니다. 좀 더 유행해
도 좋을 텐데.』

7대는 총이나 화약을 무척 좋아한다. 그래서 싸움도 그걸
사용한 게 특기다. 말을 바꾼다면, 그것들이 없으면 다른 역
대 당주들에게 뒤떨어진다.

뭐…….

『나로서는 함정 몇 개밖에 떠오르지 않는군요. 라이엘, 미란다에게 폭탄을 받아와 주겠느냐. 화려하게 폭발하는 게 필요하다.』

그렇다고 도움이 되지 않는다는 말은 할 수 없지만.

모리스 씨가 내 안색을 엿봤다.

"이, 이길 수 있을까?"

나는 단언했다.

"이깁니다. 이겨서 도시를 지켜 보이겠어요."

─클라라는 도시의 낌새를 보고 있었다.

라이엘의 연설 이후, 다급하게 움직이는 도시는 활기로 가득하다.

제각각 따로 놀던 토벌대나 주민들은 그룹별로 나뉘어서 교대로 작업이나 훈련을 하고 있었다.

근처에는 긴장된 모습의 소피아가 서 있다.

"왜 그러시나요? 소피아 씨."

"……라이엘 씨가 사람들을 이끌고 싸우라고 말씀하셔서요. 전 그런 경험이 없는데……."

긴장한 이유는, 소피아 밑에 기사와 병사, 그리고 주민 지원자가 붙었기 때문이다.

네 개의 문을 지키기 위해 각각 지휘관을 배치하게 되었다. 모리스, 미란다, 아리아, 소피아 네 명이다. 라이엘은 전체를 지휘하는 톱이다.

"노마 씨를 배치하면 됐을 텐데요."

갑자기 지휘관으로 배치된 것이 곤혹스러웠는지, 소피아는 불만을 토로했다.

"라이엘 씨가 지휘권을 양도받았으니까요. 노마 씨가 나와 버리면 현장이 혼란에 빠지지 않을까 생각한 게 아닐까요?"

"그래도 저보다는 나을 것 같은데요. 노웸 씨도 있잖아요."

"노웸 씨는 저와 함께 후방 지원이에요. 치료마법을 사용할 수 있는 노웸 씨는 귀중한 존재니까요."

포터의 운전수인 클라라를 시작으로, 치료를 담당하는 노웸은 후방 지원이다. 모니카와 샤논도 마찬가지다.

라이엘은 모니카를 전위로 내보낼 생각도 하고 있었다. 그러나 이만한 인간을 움직이는 데 필요한 식사, 그 밖의 일들을 사람의 손으로 하기는 힘들다.

모니카라면 가능하므로, 후방 지원 담당으로 돌릴 수밖에 없었다.

"사람이 없다는 건 알지만, 제가 남들을 이끌다니……."

머리를 부여잡은 소피아에게 클라라가 위로의 말을 건넸다.

"소피아 씨는 라이엘 씨가 어쩔 수 없이 당신을 배치했다고 생각하시나요?"

"……아마도요. 저는 다른 사람들보다 뒤떨어지니까요."

"저는 소피아 씨보다 약해요."

"클라라 씨는 포터를 움직일 수 있잖아요. 저는 못 해요."

"적재적소에요. 소피아 씨는 자신감을 가져야 해요. 라이엘 씨는 소피아 씨라면 할 수 있다고 생각하고 계실 거예요."

소피아는 고개를 들었다.

"그럴까요?"

"네. 틀림없어요."

라이엘이 직접 말한 건 아니다. 그러나 클라라가 보더라도 전투 전문인 소피아를 배치한다면 여기밖에 없다.

어지간한 기사보다 훨씬 강하니까.

"그, 그럼, 노력해 보겠습니다."

"소피아 씨라면 할 수 있어요."

클라라는 만약 소피아라도 무리라면 이 전투는 패배하리라 생각하고 있었다.

'그나저나, 라이엘 씨는 수완이 좋으시네요. 지휘권을 재빠르게 빼앗고, 사람의 배치도 고려하고 계시고요. 정말이지, 이런 유능한 사람이 왜 친가에서 쫓겨난 건지 모르겠네요.'

마치 경험이 있는 듯한 라이엘의 움직임을 보면서, 클라라는 의문을 가졌다.

『외벽 수리를 최우선으로 해라. 그 주변에 해자를 만들 거다.』

나는 2대의 발언을 들으면서 준비해둔 지도를 보며 설명했다.

장소는 여관.

임명한 책임자를 모아서 지금부터 뭘 할지 설명했다.

오합지졸에 지나지 않는, 숙련도가 낮은 집단이다.

이야기는 단순명쾌해야만 한다.

"외벽을 수리하면서 주변에 해자를 팔 거예요. 이러면 조금은 벽에 달라붙은 마물에 대처할 수 있어요."

모리스 씨를 시작으로 한 기사나 팻 씨 등의 주민 대표가 끄덕였다.

도시는 평지에 있다.

전망도 좋고, 사방에는 장해물이 없다. 지키는 쪽에서 보면 난이도가 높다.

『문 앞에 함정을 배치하자. 적의 기세가 강할 때는 끌어들여서 함정에 빠뜨리는 거다.』

"그리고, 함정은 도시 안에 만들 거예요. 적의 기세가 강할 때는 끌어들여서 함정을 이용해 격퇴하겠어요."

할 수 있는 일이 많지는 않다. 아리아 씨와 에바 씨가 얻어온 정보에 따르면, 그리폰은 아직 움직이지 않는다고 들었다. 그러나 유예는 일주일도 되지 않겠지.

이야기를 듣던 기사 한 명이 지도를 가리키며 의견을 냈다.

"그럼 좀 더 함정을 준비해야 해. 여기에 망루를 짓고, 그리고 여기에도 함정을 준비하자. 건물은 파괴하고—."

그걸 들은 주민들이 반대했다.

"그곳에 그런 걸 지으면 곤란해! 그곳은 피해가 적어. 건물을 부수면 우리가 생활할 수가 없잖아!"

"적이 공격해온다고! 그런 말을 할 때냐!"

"우리는 생활이 걸려있단 말이다!"

거칠어지고 있었기에, 나는 손뼉을 치며 주목을 모았다.

『라이엘. 자재도 인원도 한정적이다. 이것도 한계라고 말해 둬. 이상은 누구나 떠들 수 있어. 할 수 있는 걸 할 수밖에 없다고 가르쳐줘라.』

"이 이상은 자재가 부족해요. 게다가 시간도 인원도 한정적이죠. 이게 한계라고 판단했어요."

기사가 침묵했다. 나도 방어를 되도록 단단히 다지고 안심할 수 있을 때까지 무장하고 싶다. 그러나 할 수 있는 일은 한정적이다.

주민들이 질문했다.

"저기…… 해자도 시간이 걸리지 않을까요?"

"깊이 파지는 않을 거고, 가능한 대로 해놓기만 하면 돼요. 게다가, 우리는 우수한 마법사를 보유하고 있어요. 도와달라고 하죠."

노웸에게 의지하게 된다. 기사 한 명이 중얼거렸다.

"『마법사의 마을』이잖아. 괜찮은 건가?"

동료 기사가 바보 취급하며 웃었다.

"너, 그런 동화 속 이야기를 믿는 거냐?"

도중에 말다툼을 하기도 했지만, 회의는 무사히 끝날 것 같았다.

샤논은 루카와 함께 있었다.

애초에 도움이 되지 않는 샤논은 얌전히 있을 수밖에 없다.

활약한다고 해도 좀 더 나중이 된다.

샤논은 동생 같은 루카와 함께 그림책을 읽고 있었다.

"샤논 님.『마법사의 마을』이 뭔가요?"

"어머, 그런 것도 몰라? 좋아, 내가 가르쳐줄게."

샤논은 연상으로서의 우월감을 얻으면서 루카에게 마법사의 마을이 뭔지 이야기해줬다.

'후후, 언니에게 그림책을 읽어달라고 해서 알고 있단 말이지. 잘했어, 나!'

미란다의 이야기를 제대로 들었던 과거의 자신을 마음속으로 칭찬했다.

"옛날에 작은 마을이 있었어. 그 마을은 가난해서, 먹을 것도 적고 매일 힘들었대. 그런 마을에 마법사가 왔어. 마법사는 아무튼 굉장했어. 마을에 오더니 마법으로 집을 짓고 밭을 만들었어. 마을 사람 전원에게 커다란 집과 커다란 밭을 마련해준 거야."

"다정한 사람이었네요!"

루카가 기뻐하는 걸 본 샤논은 의기양양해졌다.

"모두가 처음에는 마법사를 좋아했어. 그래서 마을을 위해 계속 노력했지. 마을은 커지고, 굉장히 풍족해졌어."

"좋겠네요."

"그래도, 이윽고 마을 사람들은 마법사에게 계속 부탁을 하게 되었어. 더 커다란 집을 갖고 싶다거나, 더 커다란 밭이나 고용인을 갖고 싶다고. 사치를 알게 된 마을 사람들은 일하지 않게 되었어. 마법사가 모든 소원을 들어주니까 응석을 부리게 된 거야."

"그, 그래서 어떻게 됐나요?"

"……마법사는 죽어버렸어. 원래부터 노인이었을까? 마을 사람들은 한탄하는 것보다 다음에는 누구에게 부탁할지 생각했어."

"너무하네요."

"맞아. 너무해서 벌을 받았어. 마법으로 커진 마을을 눈독 들인 사신(邪神)이 와서 전부 부숴버린 거야. 남은 마을 사람들은 오랫동안 일하지 않아서 밭을 경작하는 것도 고생하게 됐어. 사치를 알게 되었으니까 빈곤한 생활에 더더욱 한탄했지. 마을은 결국 마법사가 오기 전보다 가난해졌어. 이게 『마법사의 마을』 이야기야."

루카가 무서워했다.

"사신이 오는 건가요? 라이엘 님, 마법으로 해자를 판다고 하시던데요. 사신이 와버려요."

샤논은 그 어리고 순진한 모습이 재미있었다.

"와버리겠네. 루카, 넌 사신이 오면 잡아먹힐지도 몰라."

무서워하는 루카를 보면서 샤논이 즐거워하던 중, 노엠이 다가오더니 웃으면서 루카에게 말을 걸었다.

"괜찮아요."

"아, 노엠 님이다!"

루카가 노엠의 등장에 기뻐하자, 동생을 빼앗긴 기분이 든 샤논은 퉁명스러워졌다.

노웸은 그 동화에 대해 이야기했다.

"마법사가 만든 마을을 사신이 부순 건, 마을 사람들이 오만했기 때문이에요. 라이엘 님처럼 도시를 지키고자 애쓰는 사람에게 사신은 오지 않아요."

"정말인가요?"

"그럼요, 괜찮아요. 게다가 『마법사의 마을』은 사신이 오지 않아도 망했을 거예요."

샤논이 고개를 갸웃했다.

"그래?"

노웸은 고개를 끄덕였다.

"그 동화는 마법에만 의존하다가는 여차할 때 아무것도 할 수 없다고 훈계하는 이야기니까요."

그랬었구나. 샤논도 고개를 끄덕였다.

"……어라? 그럼 사신의 등장은 필요 없지 않아?"

노웸은 키득키득 웃었다.

"그렇긴 하죠. 하지만 이런 이야기는 때때로 사실을 알려주고 있으니까, 옛날 사람들은 정말로 사신에게 『나라』가 멸망한 적이 있을지도 몰라요."

루카가 다시 무서워하자, 노웸은 다시 괜찮다고 말하며 안심시켰다. 노웸은 평소에도 다정하지만, 루카에게는 다른 아이들보다 훨씬 다정하게 대하고 있었다.

그 모습을 바라보던 샤논은 뭔가 마음에 걸리는 것을 느꼈다.

'노웸은 묘하게 루카에게 다정하네. 그나저나, 왜 마을이 아니라 『나라』야? 마법사의 『마을』 이야기인데…… 무슨 뜻인지 모르겠네. ……뭐, 상관없나.'

샤논은 라이엘도 아닌 루카를 저렇게나 귀여워하는 노웸에게 위화감을 느꼈지만, 원래부터 깊이 생각하는 게 거북한 성격이다. 바로 아무래도 좋아졌다.

도시는 회의 다음 날부터 움직이기 시작했다.

나는 전체적인 지휘를 맡고 있기에 건물 지붕 위에서 도시를 돌아봤다. 확실히 작은 도시인 줄 알았는데, 막상 「방어」를 생각하면서 보니까 꽤 넓다.

정말로 지켜낼 수 있을지 불안해졌다.

"라이엘 씨. 제가 준비한 물을 마신 작업자들이 복통으로 쓰러졌어요."

보고하러 온 클라라 씨를 바라봤다.

나는 머리를 부여잡았다.

"마법으로 만든 물은 마시지 말라고 했잖아! 난 제대로 말했을 텐데?!"

"본인들은 괜찮을 줄 알았던 모양이에요. 우리는 그렇게 연약한 몸이 아니라고 말하며 마시더라고요. 노웸 씨를 보내주세요."

클라라 씨는 더러운 곳을 닦아낼 물이나 온수 등을 준비해 주고 있다. 작업자에게는 마법으로 만든 물을 마시면 배탈이

나니까 절대 마시지 말라고 당부했다.

작업자에게 불만을 토로할 수밖에 없었다.

다음으로, 아리아 씨가 지붕에 올라왔다.

"라이엘, 싸움이 일어나서 부상자가 생겼어."

"왜 싸운 건데?!"

"아니, 왠지 도중에 도망쳤다든가, 작업에 몰두하지 않는다고 다투다가……."

나는 얼굴을 양손으로 덮었다.

"……이런 보고뿐이잖아."

……도시를 지키고, 정말로 그리폰을 쓰러뜨릴 수 있을지 불안해졌다.

아까부터 이런 보고가 계속 날아든다.

"……노엠은 작업 중이니까, 조금 더 기다려줄래?"

노엠은 해자를 만들기 위해 마법으로 작업하고 있어서, 그쪽을 우선하기로 했다. 지금 당장 죽는 상태가 아니라면 참으라고 할 수밖에 없다.

클라라 씨가 곤란한 표정을 지었다.

"그럼 일반적인 조치를 취하겠지만, 복귀가 늦어지겠네요. 작업 효율이 떨어질 거예요."

대체 어떻게 해야 하지?

내가 고민하고 있는데, 역대 당주들의 목소리가 들렸다.

『그리운걸. 나 때도 힘들었지.』

『웃기네, 굉장히 웃겨. 제삼자가 되니까 재미있잖아! 내가 고생할 때는 조금도 웃을 수 없었는데.』

『하지 말라고 해도 꼭 저지른단 말이죠. 저도 고생했습니다.』

『······나였다면 고함을 쳤을지도 몰라.』

『자기 일이 되면 누구든 화를 냈겠죠. 하지만 이렇게 보니······ 즐겁군요!』

『어지간한 희극보다도 웃기는군요. 마음도 이해가 가서 더더욱 웃깁니다.』

자기들은 조언하기만 해서 그런지, 역대 당주들은 웃고 있었다.

나는 조금도 웃을 수 없다.

"그렇다면 내가 해자를 만드는 작업에 나설까?"

그러자 클라라 씨가 의견에 제동을 걸었다.

"그럼 보고할 게 있을 때 곤란하잖아요. 가급적 여기 계셨으면 좋겠어요."

아리아 씨도 곤란해했다.

"그리고, 소피아 쪽도 큰일이야. 나는 여유가 없으니까, 라이엘 쪽에서 지원해주지 않을래? 그게, 걔는 성실해서 어떻게든 하려고 무리한다니까."

나도 좀 지원해줬으면 좋겠다. 그러나 보고가 차례차례 온다. 그보다 문제가 차례차례 일어나서 움직일 수가 없다.

"모니카도 바쁘고, 노웸도 애써주고 있으니까. 남은 인원은······ 안 돼. 쓸모도 없는 샤논밖에 없잖아."

머리를 부여잡으면서도 두 사람에게 지시를 내리고 물러가라고 했다. 나는 그 자리에 주저앉았다.

"……어째서 잘 안 풀리는 거지?"

2대의 기뻐하는 소리가 들렸다.

『조금은 공부가 된 거냐? 라이엘 주변에는 우수한 아이들이 있어서 다행이었지.』

혹시, 역대 당주들은 내게 이런 현실을 가르쳐주기 위해 이번 의뢰를 받아들인 거라고 말할 셈인가?

4대도 웃었다.

『한 명 한 명 계약을 제대로 맺은 게 좋았군요. 만약 지휘권 양도뿐이었다면 불평하면서 일하지 않는 자도 나왔을 겁니다. 역시 돈의 힘은 위대하군요.』

일부러 계약을 맺은 가장 큰 이유는, 돈을 내는 것보다는 누구를 따르는지를 명확하게 의식하게 만들기 위해서다.

내 명령을 따르면 보수를 받을 수 있다는 것을 의식하게 만들기 위해 이렇게 진행했다.

"그보다도 꽤 많은 지출을 했는데 괜찮나요?"

『문제없습니다. 그리폰 퇴치의 명예를 손에 넣을 수 있다면 싸다, 고는 할 수 없지만, 보충할 방법이라면 있으니까요.』

분명 사악한 표정을 짓고 있으리라. 꺼림칙하게 웃는 4대가 무서웠다.

일어나서 앞으로 어떻게 할지 고민하고 있는데…….

"라이엘~ 직공이 화를 내며 작업을 중단했어~."

피곤한 표정으로 지붕으로 올라온 것은 에바 씨였다.

……좀 봐주라.

제73화 방어전

—며칠 뒤.

노웸은 해자 제작 작업을 마법으로 돕고 있었다.

지팡이를 들자 흙이 움직여서 외벽 바깥에 도랑을 만들었다. 도랑에 사람이 들어가서 도구로 굳히고, 마무리 작업을 진행한다.

며칠 사이 외벽 보수가 꽤 많이 진행되었고, 해자도 완성 직전이다. 그 이유는, 라이엘이 작업을 반별로 나눠서 경쟁을 붙였기 때문이다.

우수한 반에게는 자신이 사들인 물자에서 술과 요리를 꺼내 보수로 줬다.

대단한 양은 아니지만, 이것으로 인해 경쟁의식이 촉발되어서 작업 진척이 빨라졌다.

일하는 사람들을 보니, 드문드문 아인종의 모습도 있다. 작은 체구인 노움에, 체구는 작아도 옆으로 크고 근육질인 드워프도 보였다.

그들은 도시에서 직공으로 살던 아인종이다.

노웸은 휴식에 들어갔다.

마법을 계속 사용하는 건 금지되어 있기 때문이다. 갑자기 부상자가 생겼을 때 대응할 수 있는 건 노웸밖에 없다. 그래서 마력을 아낄 필요가 있었다.

그러나, 그걸 좋게 보지 않는 사람도 있었다.

홀쭉한 몸에 부스스한 머리를 한 남자가 노웸에게 다가왔다.

"이봐, 여자! 너, 왜 일하지 않는 거야!"

노웸은 어이없어하면서도 대응했다. 표정에 어이없다는 기색은 내지 않았다.

"마법은 사용하면 피곤해져요. 조금 쉬게 해주세요."

"내 알 바냐! 더 애쓰지 않으면 술이 나오지 않는다고. 나는 술을 마시고 싶단 말이다!"

뭔가 귀찮은 녀석이 끼어들었다고 생각한 노웸 주변에 노움과 드워프가 다가와서 남성에게 주의를 줬다.

"너, 이 쓸모없는 자식아. 애써주고 있는 사람한테 불평하지 마라."

"뭐, 뭐야. 이 꼬맹이들이! 인간님에게 거스르려는 거냐!"

평소에도 쓸모없는 남자였으리라.

드워프가 남성을 노려봤다.

"너는 닥치고 작업으로 돌아가. 우리 반은 네가 발목을 잡아끌고 있어서 술을 못 마시는 거다. 모두에게 두들겨 맞고 싶냐?"

남자가 일하는 동료들을 보자, 따가운 시선이 쏟아지고 있었다. 그는 그대로 어깨를 떨구며 작업하러 돌아갔다.

노움이 노웸에게 사과했다.

"미안해, 아가씨. 저 녀석은 술만 마시고 일도 안 하던 쓸모

없는 놈이거든. 저 녀석은 신경 쓰지 말라고."

드워프도 미안해 보였다. 까탈스러운 남자지만, 노웸에게는 무뚝뚝하면서도 다정하게 대해주고 있었다.

"일단 두들겨 패서 닥치게 만들 테니까 넘어가다오."

"아, 아뇨. 그 정도까지 하실 필요는 없어요."

노웸은 쓸데없는 일이 늘어날 거라면서 어떻게든 패는 것을 제지했다.

도시는 싸우기 위한 준비를 착착 진행했다.

외벽 보수가 진행되고, 함정 설치도 완성이 가깝다.

"경쟁을 시킨 건 결과적으로 도움이 됐네요."

물자를 소모했지만, 지금은 스피드가 중요하다.

『이렇게 경쟁심을 부추기면 빨라진단 말이지. 뭐, 덤으로 동료 의식 같은 걸 가져주면 고맙겠는데.』

3대의 제안이었는데, 실행한 건 정답이었다.

날이 밝아오자 도시 전체가 보였다.

도착했을 때는 불안함밖에 없었는데, 벽이 되살아나서 지키기 쉬워진 도시는 토벌대나 주민들의 불안감도 줄여주고 있다.

건물 지붕에서 경치를 지켜보자, 아래쪽에서 목소리가 들려왔다.

"치킨 자식. 아침 식사 준비가 다 됐어요~. 모니카의. 이 모니카의 사랑이 담긴 아침 식사를 드셔주시죠~."

……아침부터 떠들썩한 녀석이네.

그런 모니카에게 항의하는 인물이 있었는데, 노마 씨였다.

"너! 내 아침은 빵하고 수프뿐이었는데! 왜 저 녀석의 아침만 호화로운 거냐! 똑같은 걸 내놔!"

"······칫."

모니카는 꺼림칙한 표정으로 혀를 찼다.

"지금 혀를 찼겠다!"

"그게 어쨌다는 거죠? 이건 저희가 가져온 식재료로 조리한 건데요. 당신에게는 기타 등등의 식사와 똑같은 거면 충분해요."

"나는 기사라고! 십기장이란 말이다!"

"······그래서요?"

아침부터 아침 식사로 싸우는 두 사람이— 아니, 노마 씨의 뻔뻔스러움이 어이가 없어서 감탄이 나왔다.

그러자 아침의 좋은 공기가 느껴지는 하늘에 날카로운 새 울음소리가 울려 퍼졌다.

『라이엘. 아무래도 온 것 같다.』

2대의 목소리를 듣고 보옥을 쥐었다.

머릿속에 주변 지도가 떠오르며 적의 숫자를 확인할 수 있었다.

"많지는 않네요. 100에도 미치지 못한 수예요."

『낌새를 볼 셈인가? 아니면 새로운 사냥감의 힘을 알아보려는 건가? 이렇게 노는 모습은 그야말로 그리폰이구나.』

멀리서 날갯짓을 하는 히포그리프가 보였다.

나는 설치해둔 종을 울렸다.

—아침 일찍부터 종소리가 울렸다.

깡깡 울리는 게 시끄러워서, 리오넬은 눈을 떴다. 같은 반 동료와 누워서 자고 있을 때였다.

"시끄럽네…… 대체 뭐야."

눈을 비비며 상반신을 일으켰다.

결국 리오넬은 라이엘의 밑에서 일하게 되었다. 데려온 동료가 전부 라이엘을 따르기로 해서 그렇기도 하지만, 식사를 내주는 것도 라이엘이다. 일하지 않으면 먹을 수도 없기에 따를 수밖에 없었다.

주변에는 사람들이 황급하게 움직이고 있었다.

반의 리더는 노마의 부하였던 기사다.

"뭘 하는 거냐! 서둘러 싸울 준비를 해라!"

반에는 토벌대 병사 말고도 도시 남자들도 있었다. 전원 무기를 들었고, 자신들의 위치로 향하고 있었다.

리오넬은 휘청거리면서 동료를 따라가는 와중에 점점 머리가 깨어났다.

종소리는 여전히 이어지고 있었다.

"……적이 온 건가."

중얼거리자 단숨에 잠기운이 가시고 현실로 돌아왔다. 겨울 추위도 잊은 채 식은땀이나 땀이 흘렀고, 심장 고동이 빨라졌다.

기사가 외쳤다.

"잘 들어라, 제 위치에서 벗어나지 마라! 훈련대로 움직이면 된다!"

그런 말을 듣자, 주변이 불안해했다.

"훈련이라니…… 조금밖에 안 했잖아."

"이런 상황에서 이길 수 있냐고."

"기, 긴장되네."

사람들은 불안해 보였다. 아무리 이길 수 있다는 말을 듣고, 돈을 준다고 해도 무서운 건 무섭다.

리오넬도 떨고 있었지만, 이윽고 정신을 차렸다.

'어, 어라? 공격해오지 않는데?'

당장이라도 적이 공격해올 줄 알았는데, 아직 기척조차 없었다.

누군가가 기사에게 말했다.

"혹시 착각한 거 아냐?"

그러나 기사는 그 의견을 듣지 않았다.

"잡담하지 마라!"

다른 반도 모이고 있다. 그러자 그 자리에 한 여성이 뛰어들었다. 크게 도약해서, 마치 하늘에서 떨어진 것처럼 착지한 것은 아리아였다.

붉은 머리를 흔들며 내려선 아리아는 몸의 라인이 드러나는 장비를 입고, 손에는 창을 들고 있었다. 그 모습은 아침 해에 비쳐서 신성하게 보였다.

자다 일어난 머리가 약간 삐쳤고, 어째서인지 입가를 닦고 있지만 그런 건 사소한 문제다.

"미안, 늦었어."

기사가 대답했다.

"아뇨, 아직 시간은 있습니다."

"바로 식사도 가져올 테니까, 그 전에 이것저것 끝마치자."

리오넬은 얼굴을 붉혔다. 기사와 이야기를 나누는 아리아에게서 시선을 뗄 수 없었다.

'아름다워.'

태양빛으로 반짝이는 아리아에게 눈을 빼앗긴 리오넬은 심장을 꽉 붙잡힌 듯한 기분이 들었다.

공격해온 것은 히포그리프가 이끄는 마물이었다.

숫자는 대략 100마리.

"조금 더 준비를 할 수 있었다면 좋았을 텐데."

내가 희망 사항을 중얼거리자 5대가 살짝 웃었다.

『생각처럼 되지 않는 게 일반적인 일이야. 하지만 이만큼 준비할 수 있었던 건 운이 좋지. 덤으로 전력을 나눠서 왔잖아. 오히려 감사해야 할 정도야.』

확실히, 갑자기 총공격을 들어오는 것보다는 좋을지도 모른다.

나는 서둘러 식사를 마치고 지붕 위에서 도시를 바라봤다.

종을 정해진 횟수만큼 울리자, 외벽 쪽에서 종소리가 들렸다. 사방 전체에서 대답이 온 것을 확인한 나는 다시 종을 울렸다.

미리 정해둔 종소리 횟수로 대화를 나눈 것이다.

아래쪽에서 목소리가 들렸다.

포터에 탄 클라라 씨다.

"라이엘 씨. 준비는 다 됐어요."

보통 큰소리를 내지 않는 클라라 씨가 열심히 낸 큰소리는 그래도 작게 들렸다.

"미란다 씨 쪽으로 가주세요. 적은 그곳에서 와요."

"아, 알겠습니다."

포터가 엔진음을 울리며 달려가는 것을 배웅한 나는 그 자리에 섰다.

"……뭔가 하는 게 좋을까요?"

『바보야. 지시를 내렸으면 우직하게 머물고 있어. 어차피 나중에는 싫어도 바빠져. 그나저나, 갑자기 미란다 쪽인가…… 증원을…….』

5대가 바로 미란다 씨를 도우려 하자, 2대가 말렸다.

『포터를 보냈다. 그거면 충분해.』

『여, 여차할 때도 있잖아.』

두 사람이 말다툼을 시작하자, 이번에는 6대도 끼어서 소란스러워졌다.

미란다는 배치에 서서 기지개를 켰다.

긴장한 모습은 느껴지지 않는다.

부하가 된 기사 두 명이 등을 쭉 펴고 미란다에게 보고했다.

"대장님. 배치에 섰습니다!"

"문제는 없습니다!"

다른 어느 반보다도 빠릿빠릿한 움직임을 보이는 미란다의 반은 틀림없이 전체 중에서 가장 숙련도가 높다.

"그렇게 긴장할 것 없어. 적은 고작 100마리니까. 일단 처음에는 벽에서 공격하고, 돌격해오면 안으로 끌어들이면 돼."

"알겠습니다!"

"맡겨주십시오!"

기사들이 부하에게 향하는 모습을 본 미란다는 유연 체조를 시작했다.

'그나저나 갑자기 내 쪽으로 오다니…… 운이 좋네.'

본격적인 마물들의 습격 전에 예행 연습을 할 수 있게 되어서 미란다는 기뻤다.

'그래도, 역시 사전에 준비를 할 수 있는 건 강점이야.'

기다리고 있자, 포터가 도착했다. 천장에서 샤논이 고개를 내밀더니 미란다를 걱정스레 바라봤다.

'정말이지, 긴장감이 없네.'

자기 일은 제쳐버린 미란다는 마물들의 목소리가 들리자 샤논에게 차내로 돌아가라는 제스처를 보냈다.

"대장님, 옵니다!"

그 말을 듣자마자 미란다는 지시를 내렸다.

"정중하게 환대해줘."

벽 위에서 궁병들이 화살을 쐈다. 그러나 그들 대다수는 활을 제대로 다룰 수 없다. 그저 적이 움츠러들기만 해도 족하기에 배치했을 뿐이다.

마물들은 이전까지는 없었던 해자와 수리된 벽, 그리고 화살 앞에서 고생하고 있었다.

그리고 문 앞에는 여봐란듯이 길이 마련되어 있다.

그러나 그곳을 나아가면—.

"왔다. 쏴라!"

—그 길을 나아가려 하면 궁병이 화살을 쏜다. 차례차례 화살이 꽂히면서 마물들이 쓰러졌다.

활을 다룰 줄 아는 몇 안 되는 사람을 문 옆에 배치해서 효율 좋게 마물을 쓰러뜨린 것이다.

상공에서 그 모습을 보던 히포그리프가 크게 울자, 로브를 입은 고블린들이 앞으로 나왔다.

지팡이를 든 고블린들이 뭔가를 중얼중얼 읊었다. 그러자 화염구가 나타나 벽을 넘어서 도시 안에 떨어졌다.

미란다는 도시 안에서 그 화염구를 보자 오른손을 앞으로 뻗어서 옆으로 그었다.

아련하게 빛나는 마법의 벽. 매직 실드가 광범위하게 전개되었고, 화염구는 실드에 부딪쳐서 튕기며 사라졌다.

"유감이네. 대책은 세워놨다고."

제대로 공격하지 못하는 것을 보자, 상공의 히포그리프가 큰소리를 냈다.

그러자, 마치 돌격하라는 말을 들은 것처럼 마물들이 일제히 문을 향해 쇄도했다.

기사가 외쳤다.

"대장님!"

무슨 말인지 짐작한 미란다는 한 손을 들었다.

그러자 문이 열리며 마물들이 차례차례 들어왔고……

"자, 수고했어."

문을 들어오자마자 있는 구멍함정에 차례차례 빠졌다. 구멍에는 망가진 가옥 폐자재를 예리하고 뾰족하게 세운 말뚝이 놓여있어서, 마물들은 차례차례 찔려버렸다.

돌아가려고 해도 뒤에서 오는 아군에게 밀려서 떨어졌다.

찔린 동료를 짓밟고 구멍에서 기어 나온 마물도 있었지만, 그대로 기사나 병사들의 창에 찔려서 목숨을 잃었다.

"나다. 내 사냥감이야!"

"내 금화아아아!"

"다음은 어디냐! 다음 사냥감은!"

기사와 병사들은 돈에 정신이 팔려서 차례차례 마물을 쓰러뜨렸다.

그 기세에 마물도 움츠러들었고, 도망치려 하자 뒤에서 찔렸다.

미란다는 하늘을 올려다봤다.

"다음은 어떻게 나올까?"

히포그리프는 미란다를 보며 크게 울고는 급강하해서 덮쳐왔다.

"어머, 의외로 단순하네."

앞다리의 발톱을 벌려서 미란다를 붙잡으려고 다가온다. 허리춤에 찬 단검을 뽑아서 옆으로 도약하며 던지자 히포그리프의 몸에 꽂혔다.

말 정도의 크기를 가진 히포그리프는 그 정도의 단검은 꽂혀봤자 의미가 없다는 듯이 미란다에게 뛰어들었다.

다시 새로운 단검을 뽑아서 이번에는 스쳐 지나가며 베었다.

확실하게 베었지만, 히포그리프에게는 상처가 얕았는지 움츠러들지 않았다.

미란다의 공격력을 얕본 히포그리프가 이번에야말로 붙잡고자 뛰어들려고 했을 때, 갑자기 움직임이 이상해졌다.

저릿하면서 움직임이 둔해졌다. 단검에는 독을 발라두었기 때문이다.

"인간이 무섭다는 걸 알겠어? ……그래도 유감. 너한테 다음은 없어."

미란다에게 기사가 달려왔다. 손에는 커다란 도끼를 들고 있다.

"대장님, 오래 기다리셨습니다!"

기사들은 마치 미란다가 원래부터 상사였다는 듯이 공손히 나왔다.

미란다는 미소 지었다.

"고마워. ……그럼, 이후에는 잘 부탁해."

기사는 마비되어 움직이지 못하게 된 히포그리프에게 다가가서 커다란 도끼를 들고는, 목을 향해 전력으로 내리쳤다.

계속 도끼를 휘두르자, 이윽고 히포그리프의 목이 떨어졌다.

마물들은 대부분 쓰러졌고, 미란다가 지키는 문은 승리를 거뒀다. 부상자는 나왔지만, 놀랄 만큼 피해가 적었다.

"자, 그럼 이제부터 바빠지겠네."

미란다는 멀리서 상황을 지켜보던 그리폰의 모습을 보며 중얼거렸다. 그리폰은 그대로 떠나갔다.

미란다 씨의 승리를 확인한 나는 주변에 아무도 없는 것을 확인하고는 보옥을 쥐었다.

"이겼네요."

6대도 대만족했다.

『좋은 시작이구나. 그나저나 미란다는 정말로 듬직한걸. 좀 더 여자아이다워도 괜찮았을 텐데. 뭐니 뭐니 해도 미레이아의 증손녀라고.』

2대가 의문을 제기했다.

『그런가? 왠지 움직임도 좋았고, 이런 일에 재능이 있을지도 몰라. 무시무시하군. 그보다도 라이엘, 밖에 있는 마물도 쓰러뜨려 놔라. 어서 추격을 지시해.』

2대의 말을 듣고 지시를 내리려 했다.

그러나, 그 전에 신경 쓰이는 방향을 바라봤다.

그리폰이 히포그리프를 거느리고 이 전투의 낌새를 보고 있었다.

"저 녀석들, 덤벼들지 않네요."

『낌새를 본 거다. 그것뿐이야. 이 도시를 사냥감으로 보고 있을 테니까. 다음에도 반드시 오겠지.』

그리폰의 무리는 떠나갔다.

이대로 두 번 다시 보고 싶지 않았지만, 다른 곳에서 날뛰면 곤란하다. 여기서 쓰러뜨리지 못하면 피해가 점점 커지겠지.

『자, 어서 지시를 내려라.』

2대의 말을 들은 나는 황급히 지시를 내리기 위해 전령을 불렀다.

그 후, 움직임은 없어서 일반 작업으로 돌아갔다.

나는 어떠냐면, 전투를 마친 병사들과 책상을 마주하고 있었다. 보수를 주기 위해서다.

승리 후에 바로 사무 작업을 할 줄은 몰랐다.

"그러니까 나는 다섯 마리 쓰러뜨렸다고. 아니, 일곱 마리일지도 몰라."

자신의 성과를 과장해서 돈을 더 뜯어내려는 녀석도 있었다.

나는 리스트를 보며 말했다.

"손에 넣은 마석의 숫자가 맞지 않는데. 정말로 네가 쓰러뜨렸다면, 누군가가 허위 신고를 했다는 뜻이 되는데."

그렇게 말하자, 주변에서 야유가 날아왔다.

"이 거짓말쟁이!"

"너는 앞으로 안 나갔잖아!"

"남의 사냥감을 빼앗다니!"

남자는 그래도 자신이 쓰러뜨렸다고 주장했다.

"했어. 나는 했다고! 돈을 줘. 금화 여덟 닢이야!"

……아까보다도 늘어났잖아.

나는 살짝 한숨을 내쉬고는 그대로 남자의 머리를 붙잡았다. 그대로 3대의 아츠를 사용했다.

"다시 한 번 묻겠어. 너는 정말로 마물을 쓰러뜨린 거냐?"

"어…… 그래. 확실히 상처 입은 마물을 한 마리 마무리했다고."

공허한 눈으로 변해서 솔직하게 이야기한 것을 들은 나는 금화 한 닢을 내줬다.

주변이 그 광경을 의아하게 보고 있었기에, 나는 씨익 웃었다.

"거짓말은 통하지 않아. 그런 아츠다. 다음부터 거짓 신고를 하는 녀석한테는 보수를 주지 않을 거니까 주의하라고."

똑같이 전과를 과장해서 보고하려던 녀석들이 내게서 시선을 돌렸다.

그나저나, 왜 이렇게 바로 보수를 줘야 하는 거냐고.

불만스럽게 작업을 진행하자 4대가 주의를 줬다.

『라이엘. 불만스러운 표정은 짓지 마세요. 아시겠습니까? 이렇게 제대로 보수를 지불하는 모습을 보여주면, 다른 이들도 다음 전투에서 노력하게 될 겁니다.』

그대로 작업을 진행해서, 전원에게 보수를 지불하자 혼자가 되었다.

피곤해서 어깨를 돌렸다.

"그나저나, 금화가 엄청난 기세로 줄어들고 있는데요. 전쟁은 돈이 드네요."

『뭐? 보통은 이렇게 보수를 많이 주지는 않아.』

3대가 당연한 듯이 대답했다.

"어, 그래도—."

『이번이 특별한 거야. 애초에, 만약 자기 영지였다면 이런 수단은 절대로 고르지 않았어.』

"절대로 고르지 않나요?"

『무리. 절대로 무리. 그도 그럴 게, 사람은 좋을 때하고 비교하게 되잖아? 뭐, 이번에는 통 크게 나섰지만, 이런 식으로 계속할 수 있을 리가 없으니까 다음에는 평범한 보수로 주겠다고 말하면 분명히 의욕을 잃어버릴 거야. 전에는 그렇게 많은 돈을 받았으니까.』

"그거, 위험하지 않나요?"

『아~ 괜찮아 괜찮아. 우리 영지도 아니니까. 그야말로 왕가의 문제지. 여기는 왕가의 직할지니까.』

보수를 과하게 지불하는 것도 문제가 되는 모양이다.

"정말로 괜찮을까요?"

『괜찮지 않을까? 도시 주민들은 살기 위해 돈이 필요하고, 아무것도 하지 않고 돈을 받는 것보다는 일해서 돈을 받는 게 좋아. 라이엘은 그리폰을 쓰러뜨리고 싶다. 주민은 도시를 부흥하기 위한 돈이 필요하다. 자, 누구도 손해 보지 않잖아.』

토벌대 쪽은 어떨까? 생각해봤자 별수 없기에, 나는 의자에서 일어났다.

"다음에는 언제 공격해올까요? 당장 올까요?"

『글쎄? 머리가 좋다고 해도 마물이니까. 사람처럼 생각하지는 못해. 게다가—.』

3대가 나를 놀리듯이 말했다.

『—인간이 마물보다 더 무섭기도 하고.』

확실히 무섭다.

같은 왕도에 살던 사람들이 방해된다는 이유로 가짜 정보를 흘리고, 사지로 보낼 정도다. 그것과 비교하면 그리폰은 그나마 귀여운 걸지도 모른다. ……아니, 귀엽지는 않나.

작업을 마친 것을 알아챘는지, 루카가 방에 들어왔다.

"라이엘 님. 차를 가져왔어요."

"고마워. 거기 놔두면 돼."

루카에게는 이렇게 잡일을 맡기고 있다. 할 수 있는 일도 적고, 본격적으로 일을 시키는 건 가혹하니까.

그런 루카가 방에 놓인 무기를 바라봤다.

토벌대의 물자인 검이나 창. 활 등도 있다.

"신경 쓰여?"

"……저도 싸울 수 있었으면 좋았을 것 같아서요."

뭐라 말해야 좋을지 모르겠다. 아버지의 원수를 갚으려는 건가?

2대가 걱정했다.

『그러고 보니 사냥꾼의 자식이었지. 기초는 다져둔 건가?』

자기 자식을 닮아서 그런지, 2대는 루카가 신경 쓰여서 견딜 수가 없는 모양이다.

"라이엘 님. 저도 싸우게 해주세요. 활이라면 아버지한테 조금 배웠어요. 꼭 도움이 될게요!"

3대도 걱정인지, 평소보다 곤란한 모습이다.

『마음은 기쁘지만, 절대 전장에 내보내서는 안 돼. 하지만 납득하지는 않을 텐데…….』

2대도 3대도 루카에게는 매우 무르다.

곤란해하고 있는데, 노크 소리가 들리며 루카의 어머니로 보이는 사람이 방에 들어왔다. 조금 피곤한 것처럼 보이지만, 20대 여성이고 몸매도 스마트하다. 지오니에서는 손꼽히는 미녀라는 말을 팻 씨에게 들은 것을 떠올리고 있는데—

『—아!』

6대의 조금 얼빠진, 놀란 듯한 목소리가 들려왔다.

7대가 말을 걸었다.

『왜 그러죠? 저 여성을 본 적이 있는 겁니까? 아무래도 루카의 어머니 같은데…….』

나도 처음 만났다. 루카가 내 시중을 잘 들고 있는지 보러 온 거겠지.

"루카, 라이엘 님을 곤란하게 하면 안 돼. 죄송합니다. 저는 루카의 어머니인데요. 신경이 쓰여서 낌새를 보러 와 보니……."

"그, 그치만……."

고개를 수그린 루카를 어머니가 타이르는 모습을 보며 6대가 중얼거렸다.

『……지오니. 그래, 지오니 마을이었어! 그래, 그런 거였나!』

6대가 뭔가 납득하고 있었다. 마을? 여기는 도시인데…….

『라이엘. 루카는 월트 가의 인간이다.』

……어?

장소는 보옥 안.

서둘러 사정을 확인하기 위해, 나는 휴식을 취하면서 보옥 안으로 의식을 보냈다. 원탁의 방에 오자, 바닥에 정좌한 6대를 다른 다섯 명이 둘러싸고 있었다.

전원이 차가운 눈으로 6대를 내려다봤다.

『즉, 루카가 우리 가문 사람이라고?』

『정말 닮았다 싶었는데 핏줄이었구나. 납득했어. 닮아도 너무 닮긴 했거든.』

『가출했을 때 신세를 진 마을에서 만든 아이라…… 뭘 했던 겁니까?』

『너 바보지. 말했을 텐데! 난 분명 바깥에 아이가 없는지 물어봤어!』

『……내가 모르는 형제는 없다고 그러지 않았습니까?』

6대는 커다란 몸을 웅크리며 정좌하고는 고개를 수그렸다.

『나, 나는 너보다 어린 형제자매, 모르는 동생이나 여동생은 없다는 뜻으로 말한 거다. 게, 게다가, 돈은 제대로 주고 갔어!』

그러고 보니, 예전에 그런 이야기를 했었던가.

2대는 덤덤히 캐물었다.

『아이를 낳게 하고, 돈만 주고는 이후에는 돌봐주지 않았다고?』

『아, 아뇨. 그건 그거죠. 저기, 아내들이 좀…….』

『그러니까 다른 곳에서 만든 애를 버린 거냐?』

『……도, 돈은 충분히 주고 왔습니다.』

『그것 말고는 아무것도 하지 않았다고?』

『……예.』

얼마나 무서웠는지는 모르겠지만, 6대는 한심한 걸 넘어서 최악으로 보였다.

이야기를 정리하면, 루카는 월트 가의 피를 이은 아이인 모양이다.

6대는 당주가 되기 전에 가출한 시기가 있었는데, 그때 생긴 아이가 지오니 마을에 있었다.

루카의 어머니를 보니, 아이를 낳은 여성을 닮았기에 거기서 떠올린 모양이다.

루카가 듀이를 닮은 이유도 알게 되었다.

혈연이라면 닮을 가능성도 높겠지.

"어쩔까요?"

내가 묻자, 전원이 침묵에 잠겼다.

2대가 머리를 난폭하게 긁적였다.

『버릴 수 없는 이유가 하나 더 늘었구나. 라이엘, 미안하지만 월트 가의 문제— 아니, 6대의 뒤처리를 해주지 않겠어?』

　루카와 그 어머니, 그리고 도시를 버리지 못할 이유가 또 늘고 말았다. 내가 고개를 끄덕이자, 7대가 6대의 멱살을 잡아 올렸다.

　『이 썩어빠진 쓰레기가……!』

　그러나 아들인 7대의 불만을 듣고 화가 치밀었는지, 6대도 반박했다.

　『마을에서 여자를 상납하기도 한단 말이다! 너도 손을 댔었을 텐데!』

　『자기가 손을 대고 방치하는 것하고는 이야기가 달라!』

　두 사람의 이야기에 따라가지 못하고 있는데, 3대가 어깨를 으쓱하며 말했다.

　『신경 쓰지 마. 그보다도, 달리 해야 할 일이 있잖아.』

　2대가 내게 미안한 듯이 말했다.

　『라이엘…… 루카에게, 활을 가르쳐주지 않겠어?』

　도시 광장에 만들어진 것은 활 훈련장이다.

　간단하게 과녁을 만들기만 한 곳에서, 나는 루카에게 활 다루는 법을 가르쳤다.

　그래봤자 2대의 말을 대변하고 있을 뿐이지만.

　루카가 화살을 날리자, 과녁에는 맞지 않았다.

　"……죄송해요. 빗나갔네요."

　나는 시무룩해진 루카에게 위로의 말을 건넸다.

"처음부터 잘 되리라고 생각한 건 아니니까. 자, 기초를 연습해볼까."

루카는 내가 허리춤에 찬 사브르를 봤다.

"라이엘 님. 저는 검을 가르쳐주셨으면 좋겠는데요."

"검?"

루카가 고개를 끄덕였다.

"활보다 검이 좋아요. 그게 많은 마물을 쓰러뜨릴 수 있을 것 같아요."

2대가 곤혹스러워했다.

『아니, 너는 사냥꾼의 자식 아니냐!』

3대가 키득키득 웃으며 내게 어드바이스를 줬다.

『뭐, 남자니까 검이나 창이 좋아 보이겠지. 하지만 장래에 이 아이에게 검이 필요할지는 아직 모르니까, 활을 가르쳐주는 게 좋지 않을까?』

2대가 3대에게 불평했다.

『너는 검을 골랐잖아.』

『그게 최적이었을 뿐이야. 봐봐, 나는 귀족이야. 영주라고. 언제까지나 활을 만지작거리고 있으면 안 된다니까.』

활은 기사의 무기로는 별로 사용되지 않는다. 역시 검이나 창이 주류다.

『활이 더 성능이 좋아.』

『성능만이 아니라 겉보기 문제니까.』

나는 두 사람의 말다툼을 들으면서 루카에게 이야기했다.

"사냥꾼의 자식이라면, 활이 제일 낫다고 생각하는데?"

"……활만 잘 다룬다고 사냥꾼이 될 수는 없으니까요. 그럴 바에는, 저도 라이엘 님처럼 모험가가 될래요."

곤란해졌다. 왠지 이야기가 이상한 방향으로 나아가고 있다.

2대가 어떻게든 타개책을 쥐어 짜냈다.

『알았다. 그럼 마체테다. 검 모양 마체테 같은 거라면 다루기도 편리하지!』

그렇게 마체테 다루는 법을 가르쳐주게 되었는데, 기본적으로 2대는 활을 가르쳐주고 싶은 모양이다.

나는 루카의 머리를 쓰다듬었다.

"알았어. 그럼 기본적인 다루는 법은 가르쳐줄게. 하지만 활 연습도 할 것. 이게 가르쳐주는 조건이야."

"알겠습니다!"

밝고 기운차게 대답한 루카는 그대로 활 연습으로 돌아갔다.

6대도 기뻐 보인다. 아무래도 자기 자손일지도 모르니까.

『이야~ 착한 아이로군요.』

7대가 혀를 찼다.

『정말 그렇군요. 누구의 씨인지 생각하면 기적에 가깝습니다. 그래도 자라면 여기저기 놀러 다닐지도 모릅니다만.』

『너, 그렇게나 내가 싫냐?』

『자식을 아수라장에 던져 넣는 부모를 좋아하라는 겁니까? 나는 여성 관계 문제에서는 6대를 절대로 믿을 수 없습니다.』

『그렇게까지 말할 정도냐!』

6대는 정말로 무슨 짓을 한 걸까?

2대와 3대는 활을 당기는 루카에 대해 이야기를 나눴다.

『정말로 똑 닮았어.』

『다정한 구석과 성실한 구석도. 정말로 듀이 형을 닮았네.』

2대가 중얼거렸다.

『어떻게든…… 행복해졌으면 좋겠어. 그 녀석의 몫까지.』

나는 아무 말도 할 수 없었다.

그래서 루카에게 할 수 있는 일을 했다.

"잘했어. 그게 끝나면 검을 잡게 해줄게."

"정말인가요!"

기뻐하는 루카를 보면서, 동생이 있다면 이런 느낌이 아니었을까 싶었다.

제74화 각자의 전장

―다음 날.

리오넬은 아리아에게 말을 걸었다.

"잠깐 괜찮을까?"

작업 휴식 중이었다.

아리아는 타올로 땀을 닦고 있었다.

"딱히 상관없는데, 무슨 문제라도 있어?"

"아니, 그런 건 아니지만. 뭐라고 말해야 할지…… 왜 라이엘 같은 녀석을 따르는 건가 싶어서."

리오넬의 의문을 들은 아리아는 고개를 갸웃했다.

"라이엘은 리더야. 나도 지시에는 따라야지."

"그, 그런 뜻이 아니야."

리오넬이 말하고자 하는 바는 아리아에게 통하지 않았다. 그래서 리오넬은 솔직하게 묻기로 했다.

"어째서 그 녀석의 동료가 되었는가, 그런 뜻이야. 아무리 생각해도 그 녀석은 못난 인간 아닌가? 주변에 여자를 거느리고, 지위나 명예를 갖고 싶다고 말했잖아. 대의 같은 것도 없고, 최악이잖아."

어째서 아리아 같은 여자가 라이엘과 함께 있는가? 리오넬은 며칠간 줄곧 아리아를 봐오면서 그런 의문을 느꼈다.

밝고, 작업도 솔선해서 돕는다. 게다가 강하고 아름다운 아리아에게 흥미를 가진 남자는 많았다. 그러나 라이엘의 동료라서 주변에서는 말을 걸지 못했다.

아리아는 미묘한 표정을 지었다.

"아니, 그건…… 평소에는 좀 더 차분하거든. 게다가 나쁜 녀석은 아니고, 나는 도움도 받았으니까. 동료가 된 것도 그게 이유야."

"실은 네 이야기를 들었어. 원래는 남작가였다면서? 왕도에 있었다면 궁정 귀족이잖아. 그 녀석은 영주 귀족이야. 야만스럽다고."

궁정 귀족이 보기에 영주 귀족은 난폭하다. 왕도— 국왕에게 영지를 소유할 권리를 인정받은 몸이건만 태도가 거만하다. 궁정 귀족들도 영주 귀족을 싫어한다.

아리아는 조금 슬픈 표정을 지었다.

"나는 이제 귀족이 아니야."

"귀, 귀족이야. 뭣하면, 왕도에 있는 귀족과 결혼하면 바로 복귀할 수 있잖아. 왕도에 돌아올 수 있어."

리오넬은 어프로치를 해봤지만, 아리아에게는 전해지지 않았다.

"이제 와서 돌아가봤자 별수 없어. 게다가, 지금 생활도 나쁘지 않고."

"모험가 같은 건 야만스러워. 너 같은 아이가 할 일이 아니야."

"일하지 않으면 먹고 살 수 없어."

두 사람의 대화는 맞물리지 않았다.

리오넬이 결의를 다졌다.

"그, 그럼, 내게 오지 않겠어? 나는 궁정 귀족이야. 세습할 수 있는 가문이고, 왕궁에서는 연금도 나오니까 생활에 곤란할 일은 없어."

아리아는 멍해졌다.

"무슨 소리야? 너, 미란다의 여동생과 사귀고 있잖아?"

"……어울리지 않아. 게다가, 사크라이 가는 어차피 라이엘이 이어받게 될 거야. 그렇게 되면, 나는 도리스와 헤어지게 돼. 너만 괜찮다면……."

"아니, 그건 이상하잖아. 딱히 가문을 잇지 않아도 결혼은 할 수 있지 않아? 게다가 뭔가 착각하는 모양인데, 라이엘은 딱히 계승 같은 건 노리고 있지 않아."

"뭐?"

리오넬이 그 말에 놀라던 와중, 포터가 다가왔다. 뒷부분에 식사를 싣고 온 모양이라, 모니카와 샤논이 내려왔다.

"식사를 가져왔습니다. 당장 줄을 서시오~."

"서시오~."

의욕이 없는 모니카와 그걸 흉내 낸 샤논을 알아챈 아리아가 배에 손을 댔다.

"배가 고파졌네. 자, 빨리 먹자."

리오넬은 떠나가는 아리아의 뒷모습을 보면서 가슴팍을 손으로 잡았다. 옷을 움켜쥐고, 분통함에 얼굴을 일그러뜨렸다.

첫 전투로부터 사흘이 지났다.

아침 일찍부터 도시를 돌아볼 수 있는 건물 지붕 위에 올라 멀리 있는 숲을 바라봤다.

머릿속에 전개된 지도 위에서, 꿈틀대는 붉은 광점 무리가 숲에서 나오려 하고 있었다.

"……왔네요. 아끼지 않고 전력으로 오는 것 같아요."

역대 당주들이 웃었다.

『드디어 왔나. 꽤 오래 기다렸어.』

『자, 그럼. 마침내 진짜가 등장했네. 두근두근한데.』

『확실히 기대되는군요.』

『그리폰이니까.』

『일대 일. 가능하면 일대 일로 끌고 가고 싶군요.』

『라이엘. 너도 마침내 어엿한 한 사람 몫이 될 때가 왔다.』

……여섯 명은 변함없다. 만약 초대가 있었다면 똑같은 반응을 보일까?

나는 종을 울려서 적이 오는 것을 알렸다.

3대가 들뜬 목소리를 냈다.

『시시한 의뢰였지만, 터무니없는 수확이야. 라이엘에게 현실을 가르쳐줄 수 있을 것 같아서 받아들인 건데…… 덤으로 그리폰 퇴치까지 한다니 최고네! 라이엘, 즐기자고!』

……즐겁지 않아요.

─종소리를 듣고 일어난 루카에게 어머니가 말했다.

"루카, 서둘러 피난 가자."

"으, 응."

사실은 자신도 싸우고 싶었지만, 싸울 수 없는 사람들은 피난하기로 정해져 있다. 재빨리 갈아입고 밖으로 나가자, 이미 많은 사람이 나와 있었다.

작은 도시다. 피난 장소는 곧바로 도착했다.

그곳은 도시에서 가장 큰 건물로, 튼튼하게 지어졌다. 그래도 수백 명이 들어가면 좁다.

붉은 드레스 같은 메이드복을 입은 여자아이─ 모니카가 피난한 사람들을 돌보고 있었다. 도시 여성들의 말로는, 언동은 좀 이상하지만 부지런하고 작업 속도도 빠르고 머리도 좋다고 한다.

"어라, 오셨군요. 이걸로 피난하는 사람들은 전원 모였네요."

루카와 어머니가 마지막이었던 모양이다.

"혹시 전원의 얼굴을 기억하고 있는 건가요?"

전원이 있다고 판단한 모니카에게 어머니가 놀랐다. 모니카는 의기양양하게 답했다.

"이 모니카에게 그 정도는 별것도 아닌 일이죠. 여러분을 돌보고 안전도 확보해라. 그게 치킨 자식에게 부탁받은 일이니까요. 확실하게 완수하겠어요!"

어머니는 웃으며 대답하는 모니카에게 뭐라 말 못 할 표정을 지었다.

일단 노마도 호위를 맡고는 있다. 전선에 나가면 지휘 계통이 흐트러지는 것을 싫어한 라이엘이 그냥 이 자리에 박아둔 거지만.

루카는 건물의 문이 닫히는 것을 바라봤다.

'라이엘 님 일행, 괜찮을까?'

루카는 라이엘이 걱정됐다.

그리폰이 이끄는 마물들은 각각 사방에서 도시를 침공했다.

하늘에서 전황을 살피는 그리폰은 내려오지 않는다.

소피아가 맡은 전장은 혼란의 극치였다.

"마물이 어째서 이런 수단을……"

오크나 오우거가 소형 마물을 벽 안으로 내던졌다. 차례차례 투입된 마물들이 도시 안에서 날뛰었다.

소피아가 배틀 액스로 베어버리고 있지만, 아군은 혼란에 빠졌다.

기사들이 목소리를 높였다.

"신경 쓰지 말고 벽 바깥을 공격해라!"

"뒤에 적이 있는 걸 신경 써봤자 무리다, 바보 자식들아!"

더러운 욕설도 들려오는 전장에서, 소피아는 어떻게든 자신이 할 수 있는 일을 했다.

"미란다 씨는 문제없이 했는데."

미란다의 전과를 들었던 소피아는 초조해졌다.

증원도 없이 지켜낸 미란다와 자신을 비교하게 된다.

벽 바깥에서 차례차례 화염구가 날아오고, 고블린이나 소형, 중형 마물들까지 날아오고 있다. 화염구에 맞아서 불이 붙은 병사가 그 자리에서 뒹굴며 필사적으로 불을 끄려 했다.

"앗, 뜨거!"

"이봐, 정신 차려!"

병사 한 명이 등을 보이고 말았고, 고블린이 뒤에서 나이프를 꽂았다.

"사, 살려줘!"

"큭!"

배틀 액스로 고블린을 옆에서 후려쳐 베어버렸다. 마물은 피를 뿜으며 쓰러졌다.

"바로 치료를—."

병사를 도우려 했지만, 주변은 혼전 상태가 되었다.

소피아는 초조해졌다.

'어쩌지. 어떻게 해야……'

그때, 포터가 돌격해왔다. 마물들을 날려버리고는, 후방 해치를 열어서 병사들을 내렸다. 아군의 등장에 주변이 환성을 내질렀다.

"아군이 왔다!"

소피아는 안도했다.

늘어난 인원으로 마물들을 포위해서 숫자로 밀어붙여 쓰러뜨렸다.

"다행이야— 앗!"

그러나, 이번에는 대량의 화염구가 발사되어 소피아 일행에게 쏟아졌다.

어느새 포터의 천장에 샤논의 모습이 보였다.

"후후, 마침내 내 차례네! 내게 그 정도는 무의미해!"

평소에는 전혀 도움이 안 되는 샤논이지만, 마법에 관해서는 뛰어난 재능을 가졌다. 마력을 인식할 수 있는 눈을 가진 샤논이 손을 크게 펼치자 화염구가 전부 튕겨났다.

매직 실드. 소피아도 쓸 수 있지만, 샤논과 달리 모든 걸 막는 건 불가능하다.

"—굉장해."

클라라가 포터에서 내려와 소피아에게 다가갔다.

"부상자를 옮길게요."

"가, 감사합니다."

'나는 정말로 한심해. 좀 더 힘이 있었다면……'

겨우 안정을 찾으려 할 때, 이번에는 문이 부서졌다.

저번과 비교하면 마물들이 책략을 쓰고 있다.

아군을 내던지다니, 아무리 생각해도 이상하다.

"무슨 생각인 거지?"

2대가 나를 진정시키려는 듯이 말을 걸어왔다.

『저 녀석들은 아군의 손해를 신경 쓰지 않으니까. 생각해봤자 소용없어. 그나저나, 소피아도 아리아도 애쓰고 있구나.』

2대는 조금 기뻐 보였다.

"위험하니까 막 증원을 보냈는데요."

여유가 있는 건 미란다 씨 쪽과 모리스 씨 쪽이다. 모리스 씨에게는 에바 씨도 붙어있다.

『그럼에도 한 말이다. 저 바보 두 사람이 무척 성장했잖아. 앞으로가 기대돼.』

2대는 두 사람을 바보라 부르지만, 실은 마음에 든 모양이었다.

나는 하늘을 올려다봤다.

"······최악이네요."

허리에 찬 사브르를 뽑았다.

하늘에는 그리폰과 히포그리프가— 마물을 나르는 모습이 보였다. 그리고, 녀석들이 나르고 있는 건 오크나 오우거 같은 커다란 마물들이었다.

『이 정도는 해주지 않으면 곤란하지. 라이엘, 미리 가 있자.』

—에바와 모리스가 지키는 문은 안정적이었다.

경험이 풍부한 모리스가 노궁을 다루는 병사들을 지휘하고 있다.

"마법을 다루는 메이지를 먼저 노려라! 알겠나, 잘 노려라!"

노궁을 쏘는 병사과 화살을 장전하는 인원이 조합되어 벽에서 공격을 반복하고 있다.

오크가 고블린을 벽 안으로 내던지려는 것을 본 에바는 활을 들었다.

"활을 든 엘프를 얕보지 말라고!"

바로 활을 연속해서 날렸다. 날아오던 고블린은 공중에서 꿰뚫렸다. 오크의 머리에도 화살이 박혀서 그대로 뒤로 쓰러졌다.

벽 안쪽에서는 기사들이 문을 열어서 마물을 끌어들인 뒤, 미리 준비해둔 튼튼한 울타리 사이에서 창을 내질러 마물들을 쓰러뜨렸다.

활을 든 고블린이 벽 위에 선 에바를 향해 화살을 쐈다.

에바는 폭도 그리 넓지 않은 벽 위를 달려서 피하고는 곧바로 화살을 날려 고블린을 꿰뚫었다.

"자자, 나는 여기야~."

활 실력이 뛰어나고, 하반신이 탄탄해서 마치 곡예사처럼 날아다니는 에바를 본 모리스가 쓴웃음을 지었다.

"엘프란 다들 저렇게 강한 건가? 앞으로는 화나게 하지 않도록 해야겠어."

에바는 웃었다.

"어머, 나는 엘프 중에서도 꽤 우수하거든. 왜냐하면— 이크!"

벽에서 뛰어내렸다. 에바를 향해 히포그리프 한 마리가 급강하해서 벽의 일부를 파괴하며 내려섰다.

"거물이 왔네."

히포그리프는 에바를 향해 새된 울음소리를 내질러 위협하면서 덤벼들었다.

앞다리의 발톱으로 사냥감을 붙잡고자 돌격해왔다.

에바는 민첩함을 살려서 피하고는 오른손을 허리 뒤로 돌렸다.

그리고 특별제 화살을 짐에서 하나 꺼냈다.

"미란다에게 받아둔 비장의 수단이야."

활을 겨누자, 히포그리프는 달려서 독수리 머리— 부리로 에바를 쪼아 죽이려고 덮쳐왔다.

화살은 신경 쓰는 기색도 없다.

에바가 침착하게 날린 화살은 히포그리프의 머리에 꽂혔다. 그러나 두개골까지 뚫을 수는 없었는지, 히포그리프는 멈추지 않았다.

"에바!"

모리스가 외쳤다. 모두가 에바의 죽음을 각오했지만—.

"말했잖아? 특별하다고."

다음 순간, 히포그리프는 단숨에 불타올랐다. 그 자리에서 뒹굴며 발버둥을 쳤지만, 불은 꺼지지 않고 힘차게 타올랐다.

에바는 감탄했다.

"어머, 정말로 굉장하네. 마시(魔矢)랬던가? 편리해."

미란다에게 받은 건 아람사스에서 생산되는 마시였다. 미란다가 만든 특별품은 위력도 격이 달랐다.

안 된다면 마법도 써서 쓰러뜨리려고 했지만, 고작 한 발로 끝낼 줄은 에바도 몰랐다.

새까맣게 타버린 히포그리프는 그대로 숨이 끊어졌다.

에바는 턱에 손을 댔다.

"가련한 엘프 궁수. 아니, 미려하다고 할까? 내가 활약하는 노래가 있어도 되겠네!"

모리스가 외쳤다.

"에바! 그 이야기는 나중에 들을 테니, 지금은 도와라!"

에바와 모리스가 지키는 문은 문제없이 마물을 쓰러뜨렸다.

장소를 바꿔서 아리아가 지키는 문.

이쪽은 매우 혼란스러웠다.

"이 자식이이이이!"

아리아가 도약해서 창을 내지른 상대는 오크였다. 급소를 깊숙이 찔렀다가 뽑자 피가 튀었다.

준비한 함정도 사용했지만, 히포그리프가 떨어뜨린 오크에 의해 혼란에 빠졌다.

하늘을 날면서 지상의 모습을 살피는 히포그리프도 성가시다.

때때로 내려와서 사람을 잡아서 하늘로 돌아간다. 그리고 아군의 시체가 떨어진다.

"허억, 허억……."

피로 더러워졌지만 그걸 신경 쓸 여유도 없다. 차례차례 떨어지는 마물. 그리고 날아오는 마법을 대처하느라 고전하고 있었다.

기사 한 명이 매직 배리어를 전개했지만, 마법은 그걸 뚫고 지나가서 도시에 떨어졌다.

함정은 오크가 파괴한지라, 아슬아슬하게 버티는 상태가 이어지고 있다.

그러자 목소리가 들렸다.

"누, 누가 좀……!"

돌아보자 리오넬이 고블린의 습격을 받고 있었다. 말타기 자세로 나이프를 찌르려는 고블린의 손을 아슬아슬하게 누르고는 울면서 도움을 요청했다.

아리아는 아츠를 사용해서 단숨에 거리를 좁혀, 고블린을 찔러서 들어 올리고는 힘껏 창을 휘둘러서 날려버렸다.

창에서 빠져나간 고블린이 지면에 떨어졌다.

아리아는 리오넬에게 손을 뻗었다.

"설 수 있겠어? 바로 무기를—."

그러나 피투성이인 아리아를 본 리오넬은 공포에 질려 얼굴을 일그러뜨리고는 엉덩방아를 찧은 채 뒤로 물러나 비명을 질렀다.

"히이이익!"

한심한 소리를 내며 도망친 리오넬에게 손을 뻗으려던 아리아는 바로 집어넣었다.

'아, 그런가. 피투성이니까.'

무기를 다시 쥐고 주변을 돌아봤다. 도움을 원하는 아군이 없나 살펴보니, 이번에는 하늘에서 오우거가 떨어졌다.

히포그리프가 바깥에서 데려온 것이다.

"또 이런 성가신 짓을……."

오우거 앞으로 뛰쳐나갔다. 그러나 오우거는 아리아에게는 눈길도 주지 않고 문을 파괴했다. 함정은 이미 부서져서 기능을 멈췄고, 마물들은 차례차례 도시 안으로 들어왔다.

"최악이잖아."

우르르 들어오는 마물 앞에서 기사도, 병사들도 허리를 뒤로 빼고 있었다.

아리아는 창을 들고 앞으로 나섰다.

그러나 대량의 적을 쓰러뜨릴 기술은 없다.

'숨쉬기가 괴로워. 몸이 무거워. 피에 젖은 무기가 미끄러워서 꽉 잡을 수 없어. 정말로 성가실지도.'

덤벼드는 고블린을 창으로 찌르자, 창이 부러지고 말았다.

바로 다른 무기를 준비했지만, 허리춤에 차고 있는 건 단검이다. 칼날은 꽤 길지만, 창보다는 능숙하게 다룰 수는 없다.

"내가, 좀 더 강했다면—."

아리아가 중얼거렸다.

'이럴 때 그 녀석이— 라이엘이 와준다면, 이런 생각이나 하는 걸 보면 나도 의외로 꽃다운 소녀 같네. 하지만 지금은 좀 더 힘이 필요해. 그 녀석이 의지할 수 있을 만큼 강한 힘.'

한심한 자신을 한탄하고 있는데, 목에 걸어둔 붉은 옥이 아련한 빛을 발했다.

붉은 빛이 아리아를 감쌌다.

"……!"

하늘에서 상황을 지켜보던 히포그리프가 울자, 마물들이 아리아와 인간들을 덮쳤다.

오우거가 목소리를 높이고, 들고 있던 곤봉을 아리아를 향해 내리치려 했다.

아리아는 다음 순간─ 그 자리에서 사라졌다.

떨어진 곤봉은 지면을 때리면서 주변을 뒤흔들었지만, 그곳에 아리아의 모습은 없다.

아리아를 찾기 위해 고개를 돌린 오우거의 뒤에서 핏줄기가 튀었다.

돌아보자, 동료 마물들이 썰려서 피를 뿜어내며 쓰러졌다. 오우거는 믿을 수 없는 광경을 보자 눈을 크게 뜨며 우두커니 섰다.

기사나 병사들도 무슨 일이 일어난 건지 알 수 없었다.

"뭐, 뭐야."

"빨간 머리 애는 어디에─."

"이봐, 저기야!"

아리아는 마물들의 뒤로 돌아가서 떨어진 아군의 창을 들었다.

'아아, 알겠어. 그렇구나, 겨우 인정받은 거구나.'

붉은 옥이 아련한 빛을 발하며 아리아에게 아츠를 전수했다. 움켜쥔 창은 조악해서 아리아가 지금까지 쓰던 창보다 연약해 보였다.

아리아는 그 창을 들고, 겨눴다. 그러자, 움켜쥔 곳에서부터 점점 색이 변했다. 이윽고 금속 같은 광채를 띤 창은 그 질감도 금속 그 자체가 되었다.

아리아는 창을 휘둘러보며 말했다.

"응, 느낌 괜찮네. 미끄러지지 않고 손에도 잘 맞아."

아츠로 무기를 경화— 일반적인 창이 금속으로 된 창으로 변했다.

오우거가 외치자, 마물들이 아리아에게 덤벼들었다. 마물들이 간격에 들어오기 전에 아리아가 창을 옆으로 휘두르자, 또다시 핏줄기가 튀었다.

간격 바깥에 있는 마물들이 지면에 대거 쓰러지는 모습을 보면서, 창을 어깨에 멨다.

"아, 이거 확실히 편리하네. 그래도 꽤 피곤할지도."

아리아가 가진 옥에는 록워드 가의 여자들이 이어받은 아츠가 기억되어 있었다. 하나는 무기의 강화, 또 하나는 참격을 날리는 아츠.

그리고 또 두 개.

아리아가 오른손을 쥐었다.

"굉장해. 힘이 솟아나고 있어."

뚜둑뚜둑 소리를 내는 손. 단순한 육체 강화계 아츠지만, 라이엘이 가진 아츠와 다른 점은 그 공격성이다.

단숨에 신체 능력을 끌어올리고 자신의 아츠로 가속하자, 아리아가 지나간 곳에는 핏줄기가 춤췄다.

아군이 놀랐다.

"뭐, 뭐야 저거."

"거짓말이지? 빨간 무언가가 지나간 것밖에 안 보였다고."

"무, 무서운 여자야."

하늘에서 지켜보던 히포그리프가 경계하며 내려오려 했지만, 아리아는 그전에 지상에 있던 마물들을 베면서 오우거에게 뛰어올랐다.

머리를 붙잡고 오우거의 목을 부러뜨린 뒤, 그대로 발판 삼아서 하늘로 뛰어올랐다.

"이게, 록워드 가의, 나의—."

마지막 아츠는 혼신의 일격을 날리는 아츠다.

히포그리프가 놀라서 도망치려 한 그때는 이미 아리아가 눈앞까지 다가와 있었다. 아리아는 강화한 창을 히포그리프에게 난폭하게 꽂아 넣었다.

"—힘이야아아아!"

창이 산산이 부서졌지만, 동시에 히포그리프의 머리도 부서졌다.

아리아가 공중에서 외치자, 기사나 병사들이 환성을 내질렀다.

소피아는 오른손을 하늘로 들었다.

숨은 거칠고, 머리는 흐트러져서 흙이나 피로 더럽다.

문은 파괴되고, 마물들이 밀려오는 상황은 소피아 일행에게는 무척 좋지 않은 상황이다. 그러나 주변에는 환성이 오르고 있었다.

"괴, 굉장해."

"마물들이—."

―바닥에 무릎을 꿇고 있었다.

마물들은 도시 안으로 들어왔지만, 소피아가 한 손을 들자 갑자기 움직임이 둔해졌다.

하늘을 나는 히포그리프조차도 지면에 쓰러져 버둥거리고 있다.

클라라가 놀랐다.

"설마 아츠? 2단계를 이 타이밍에?"

소피아는 중량을 조작하는 아츠를 가졌지만, 그것은 자신과 닿은 물건 한정이다. 그러나 아츠의 2단계를 해방하여 그 성능이 몇 단계 올라갔다.

소피아의 아츠는 마물들을 바닥에 눕힐 정도의 힘을 가지고 있었다.

그러나, 숨은 거칠고 표정은 지쳐 보였다.

"어, 어서 마무리를. 시간이……."

클라라가 기사에게 외쳤다.

"당장 끝장을 내주세요. 시간이 없어요!"

"아, 알았다!"

무기를 든 기사나 병사들이 마물들에게 무기를 휘둘렀다.

샤논은 그 광경이 싫어서 포터 안으로 도망쳤다.

소피아는 배틀 액스를 지팡이 대신 삼아서 어떻게든 몸을 일으켜 세웠다.

히포그리프를 둘러싼 기사나 병사들이 무기를 휘둘러 끝장을 내고 있었다.

"제대로 심장을 찔러. 이 녀석들은 생명력이 강하니까. 어중간하게 처리하면 다시 일어난다고."

"알았어."

세심하게 끝장을 내고, 모든 것이 끝나자 쓰러지려던 소피아는 클라라에게 부축을 받았다.

"소피아 씨! 당장 노엠 씨에게 가요."

소피아는 자기 손바닥을 바라봤다.

'저, 저는…… 조금은 강해졌을까?'

마물들을 쓰러뜨리고 환성을 내지르는 아군을 보면서, 소피아는 눈을 감았다.

나는 오크 두 마리를 앞두고 있었다.

히포그리프가 떨어뜨린 마물이다.

오크는 사람에게 빼앗은 무기를 들고 있었지만, 건물과 건물 사이로 끌어들여서 제대로 휘두르지 못하게 한 뒤에 사브르로 하나씩 처리했다.

하늘을 보자 그리폰과 히포그리프가 하나씩밖에 없다.

"다른 히포그리프는 문으로 갔나."

아츠로 상황을 확인하자, 푸른 점과 붉은 점이 뒤섞여 있었다. 우세하게 이끌어가고 있다는 건 알 수 있지만, 우리에게도 피해가 생겼다.

5대는 내게 다음 지시를 내렸다.

『지금은 할 수 있는 일부터 해결해라. 아직 오우거가 남아있어.』

히포그리프가 떨어뜨린 건 오크만이 아니다.

오크들은 어찌어찌 처리했지만, 그 틈에 오우거만 이탈했다.

장소를 확인하려 하자…….

"안 돼. 저기는—."

주민들의 피난소와 부상자를 수용하는 시설이 있는 곳이었다.

노웸은 실려 온 부상자를 치료하고 있었다.

도시 여성들이 도와주고 있다.

"아파. 아프다고."

울고 있는 병사에게 달려가 마법을 걸어 상처를 막았다.

그 모습을 보던 여성이 놀랐다.

"이렇게 상처가 깨끗하게 낫나요? 마법은 굉장하네요."

치료가 끝나고, 병사가 의식을 잃는 것을 본 노웸은 여성에게 지시를 내렸다.

"몸을 깨끗하게 닦아주세요. 그리고 한동안 쉬게 하고 물과 식사 준비를 해주세요."

다친 병사이기는 하지만, 가벼운 수준이라면 쉬고 나서 다시 전장으로 돌아가게 되어있다.

공포를 느껴서 밖으로 나가려 하지 않는 이도 있거니와, 큰 부상을 입었는데도 무기를 들고 밖으로 나가려는 이도 있다. 그것을 몇 명이 달려들어서 억누르고 있는지라, 이곳도 전장이었다.

노웸이 땀을 닦을 때, 입구에서 절규가 들려왔다.

"꺄아아아아!"

바라보니, 여성이 엉덩방아를 찧었다.

그 시선 너머에서는 오우거가 몸을 수그리고 문에서 안을 들여다보고 있었다. 커다란 입을 반쯤 벌리고 침을 흘리고 있다.

사람들이 혼란에 빠진 가운데, 노웸이 앞으로 나왔다.

"물러서세요. 제 앞으로 오지 마요!"

부상자나 주민을 지키고자 지팡이를 들자, 오우거는 노웸을 보고 움직임을 멈췄다.

그대로 도망치듯이 물러나더니 어딘가로 떠나갔다.

안도한 여성들이 그 자리에서 주저앉았다.

"수명이 줄어드는 줄 알았어."

"바깥에서는 저런 것하고 싸우는 거구나."

"아직 무서워서 몸이 떨려."

노웸은 지팡이를 거두고, 묵묵히 치료 작업으로 돌아갔다.

오우거가 다음 목표로 삼은 것은 피난소였다.

건물에서 인간 냄새를 맡고, 가진 곤봉으로 문을 두드렸다.

문이 파괴되자, 그곳에는 많은 인간이 숨어있었다.

오우거는 씨익 미소를 지었다. 건물 안으로 들어가기 위해 당장 입구를 부수고자 곤봉을 들었다. 그러나, 한 여자가 앞으로 나왔다.

"이거 무척 크네요. 오크도 어지간했지만, 오우거의 크기는 3미터는 되나요. 하지만! 이 모니카, 치킨 자식에게 이곳의 방어를 명받았습니다. 이 앞으로는 보내지 않아!"

오우거는 신경 쓰지 않고 손을 뻗어서 붙잡아 뭉개버리려 했다.

왠지 사람이 아닌 냄새가 나지만 개의치 않았다.

붙잡으려 하자, 여자가 어딘가에서 커다란 망치를 꺼냈다.

여자는 손을 들고는, 오우거의 손에 망치를 내리쳤다. 오우거는 아픔을 느끼며 손을 당기고는 비명을 질렀다.

"저를 만져도 되는 건 치킨 자식뿐이에요!"

살이, 그리고 뼈가 부서진 오우거는 여자를 노려봤다.

곤봉으로 두들기려 했지만, 망치에 맞아서 오히려 튕겨났다. 작은 몸집인데도 오우거 이상의 파워를 보여주고 있었다.

"이 모니카, 메이드 전투술은 면허개전입니다. 저와 만난 것을 후회하도록 하세요!"

이윽고 망치에 머리가 뭉개진 오우거의 의식은 거기서 끝났다.

피난소로 달려가자, 오우거 하나가 지면에 쓰러져 있었다.

머리가 뭉개졌고, 옆에는 모니카가 커다란 망치를 한 손에 들고 있다.

"아, 치킨 자식~."

태평하게 손을 흔들고 있는 모니카를 보니 어이가 없었다.

"이런 상황에서도 웃는 거냐고."

"이런 상황이니까 그렇죠. 저는 치킨 자식에게 최고의 웃음을 매일 보여주고 싶거든요!"

"그러냐. 그보다도, 부상자는 없겠지?"

"차갑네요. 그게 또 좋긴 하지만요. 그나저나, 부상자는 없어요. 이 모니카, 명령은 확실하게 수행하니까요."

"그거 다행이네. 노웸 쪽도 괜찮았으니까, 이후에는—."

모니카가 망치를 양손에 들고 하늘을 올려다봤다.

"치킨 자식, 와요!"

나도 올려다보자, 그곳에는 히포그리프의 모습이 다가오고 있었다.

자리에서 이탈하자, 급강하한 히포그리프가 오우거의 시체를 힘차게 짓밟았다. 마물끼리 동료 의식 같은 건 없나?

사브르를 들고 히포그리프를 노려봤다.

미간에 주름을 잡은 히포그리프는 분노를 드러내고 있었다.

"뭐야, 동료가 당해서 화가 난 거냐? 그럼 밟지 말라고."

피난소 출입구가 부서졌다. 그곳에서 보이는 것은, 피난한 주민들이 히포그리프에 겁을 먹은 모습이다.

2대가 냉정한 목소리로 살짝 중얼거렸다.

『라이엘, 여기서 이탈해라. 여기서 싸우는 건 위험해.』

나는 왼손에 나이프를 들고 히포그리프에게 던졌다.

히포그리프는 앞다리로 튕겨냈지만, 꽂히는 건 애초에 기대하지 않았다.

"야, 와라. 새 자식아."

히포그리프는 새된 소리로 울고는 나를 향해 돌격했다. 하반신은 대부분 말 같은 동물이기 때문인지, 지면 위에서도 꽤 잘 달린다.

등을 보이며 달리는 나를 표적으로 정한 모양이다.

"좋아, 와라. 따라와!"

모니카도 나와 히포그리프를 쫓고 있다.

"아, 바보. 너는 대기해야지!"

"어째서죠?! 제 우선순위 1번은 치킨 자식인데—."

내 위험을 감지하고 일을 내팽개친 모양이다. 좀 봐줘.

"주민을 지키라고! 나는 괜찮으니까!"

아츠를 사용해서 이동 속도를 올려 그 자리에서 멀어지자, 히포그리프가 따라왔다. 짐 안에서 점토를 꺼냈다.

도시 안에서 가장 커다란 길로 나온 뒤, 나는 몸을 돌려 히포그리프를 바라봤다.

날아오르려는 히포그리프는 날개를 지면에서 펄럭이며 몸을 수그렸고—.

"파이어 불릿."

—왼손을 앞으로 내밀어서 화염구를 쏘는 주문을 중얼거렸다.

그러나 히포그리프는 이 정도의 불로는 어찌할 수 없다. 화염구가 터지며 타올랐지만, 다소의 불로는 움츠러들지 않는다. 조금씩 불이 꺼지고 있다.

꽤 불에 강한 모피를 가진 모양이다. 태우기는 어렵지만······ 승리를 확신했다.

"발밑에는 주의해야지."

나는 미리 떨어뜨린 점토를 히포그리프가 밟는 모습을 지켜봤다. 그래서 딱히 위력도 없는 마법을 날린 것이다. 마법에 닿은 점토가 폭발을 일으켰다.

점토는, 미란다 씨의 특제— 폭약이다.

히포그리프는 폭발에 맞아 날아가서 앞다리와 한쪽 날개를 잃었다. 그래도 움찔움찔 경련하는 걸 보니 살아있는 모양이다. 끈질기다. 하지만 이걸로 끝이다.

호흡이 흐트러져서 가다듬었다.

"해, 해냈나?"

7대가 만족했다.

『근사하군. 저것밖에 안 되는 양으로 저 위력이라니. 개량한다면 위력이 더 높아지겠지. 자, 그럼. 끝장을 내야겠구나.』

끝장을 내려 하자, 히포그리프 근처에 리오넬이 와 있었다.

"너, 이런 곳에서 뭘 하고 있어?"

리오넬은 가진 검으로 빈사 상태인 히포그리프를 몇 번이고 찔렀다. 혼란에 빠졌는지, 얼굴이 조금 무섭다.

"나야. 이건 내가 쓰러뜨렸어. 누구에게도 넘겨주지 않아! 금화 50닢은 내 거다!"

계속해서 히포그리프에게 검을 찌르더니, 이번에는 내게 검을 겨눴다. 자기 거라고 말하며 내 접근을 막고 있다.

『이런 상황에서 귀찮게.』

2대가 짜증을 냈다. 혹시 죽이라고 말하는 게 아닌가 조마조마했다.

"좋아. 네 공적이야. 제대로 끝장을 내라고."

리오넬은 웃었다. 실룩거리는 얼굴로 웃으면서 금화 50닢은 내 거라는 말을 계속해서 중얼거렸다.

3대가 어이없어했다.

『이 녀석 배치는 다른 곳 아냐? 혹시 적을 앞에 두고 도망친 건가? —어라?』

귀기 서린 리오넬을 바라보는 와중에, 긴급사태를 알리는 종소리가 들렸다.

"이 방향…… 미란다 씨 쪽? 리오넬, 너는 히포그리프를 확실하게 끝장내라고!"

나는 서둘러서 미란다 씨에게 향했다.

리오넬은 라이엘이 떠나자 히포그리프를 내려다봤다.

"몇 번이고 검을 찔렀고, 앞다리도 하나 없어. 날개도 날아 갔으니 괜찮겠지?"

떨리는 손을 봤다. 눈 밑에는 깊은 다크서클이 생겼다.

칼자루를 쥔 손은 말을 듣지 않는다. 검을 굳게 쥐고 떨어지려 하지 않았다.

"……그래. 나는 히포그리프를 쓰러뜨렸어. 이제 돌아가면 영웅이야. 자작가 후계자도 될 수 있어."

검을 움켜쥔 채, 리오넬은 그 자리에서 떠났다.

"아리아에게도 자랑해야지. 그래. 도망친 게 아니야. 나는 히포그리프와 싸운 거야. 그러니 아리아도 눈을 뜨게 해주자. 분명 나를 다시 볼 테니까."

입가에 미소를 지으며 휘청휘청 걷는 리오넬은 마치 미친 것 같았다.

그런 리오넬의 모습이 보이지 않게 된 무렵, 히포그리프가…… 눈을 떴다.

제75화 그리폰

　—미란다는 고전하고 있었다.

　"조금 힘드네."

　처음에는 여유롭게 상대할 수 있었지만, 상황이 일변하는 일이 일어났다.

　그리폰이다.

　근처에는 오우거나 오크 말고도 히포그리프의 시체도 굴러다닌다.

　아츠로 만든 골렘이 그리폰을 가로막았다.

　만든 것은 검은 거미와 표범이다. 어느 쪽도 크기는 6미터를 넘지만, 그리폰 앞에서 고전하고 있었다.

　그리폰이 크게 입을 벌려서 새된 소리를 내지르자, 주변 아군이 귀를 막았다. 미란다도 귀가 따가웠다.

　"아까부터 시끄러워!"

　미란다는 거미에게 돌진, 표범에게 도약을 시키고 자신도 손에 특수한 투척 나이프를 들었다.

　그리폰은 거미를 짓밟고, 물어뜯은 표범을 휘둘러서 풀어냈다.

　미란다가 던진 나이프는 칼날 부분이 점토로 되어있다. 그리폰의 몸에 닿자 나이프는 몸에 달라붙어 폭발을 일으켰다.

"……정말로 싫어지네."

폭발로 발생한 연기 속에서 그리폰이 천천히 걸어와서 표범 모습을 한 골렘을 앞다리로 밟아서 그대로 짓뭉갰다. 골렘은 모래가 되어 사라졌다.

거미도 짓밟혔을 때 사라져서 미란다의 앞에는 벽이 없어졌다.

'내 골렘으로도 힘에서 밀려. 가진 폭탄도 다 써버렸고, 남은 도구로 어떻게 할 수 있을까?'

도중까지는 잘 풀렸다.

폭탄 등의 도구를 사용해서 유리하게 전투를 진행했다. 그러나 그리폰의 등장으로 상황이 역전되고 말았다.

그리폰은 대미지를 입은 기색조차 없다.

'솔직히 말해서 얕보고 있었어. 히포그리프를 간단히 쓰러뜨렸으니까 괜찮을 줄 알았는데…… 확실히 쓰러뜨리면 영웅이라고 불릴 만하네.'

히포그리프와는 모든 것이 다르다.

미란다는 왼손에서 실을 꺼냈다. 점착성 실을 그물로 만들어 그리폰에게 던졌다.

끈적한 감촉이 든 그리폰이 몸을 틀자, 그물이 휘감겼다.

계속해서 그물을 던져 움직임을 봉쇄하려 했지만, 그리폰이 억지로 날개를 펼치고 날갯짓을 하며 몸을 흔들자 실은 주변에 흩어졌다.

"이 녀석, 귀엽지 않네."

미란다가 시선을 끄는 사이, 동료가 준비해둔 그물을 가져왔다.

"대장님, 맡겨주시죠!"

기사의 호령과 함께 그물이 날아갔고, 그리폰을 사로잡았다. 병사나 전사들이 그물에 이어진 로프를 당겼다.

"이러면 움직일 수 없겠지!"

그리폰은 딱히 피하려고 하지도 않았다. 미란다는 전원에게 명령했다.

"당장 로프를 놓아!"

"─엥? 우와아아악!"

그리폰이 몸을 크게 흔들자, 로프를 잡은 수십 명의 남자들이 휘말려서 날아갔다.

부리나 발톱으로 그물을 찢어서 해방된 그리폰은 입을 살짝 들었다. 그 얼굴은 웃고 있는 것처럼 보였다.

"성격 고약하네."

미란다는 병사들이 벌어준 시간을 써서 자기 주변에 골렘의 골격을 만들었다. 주변의 흙이 융기되면서 골격에 달라붙어 살이 붙었다.

골렘을 두른 그 모습은, 라이엘과 싸웠을 때 같은 모습.

아라크네 같은 거미녀였다.

"별로 보여주고 싶은 모습도 아니니까, 빨리 끝내야지."

미란다의 모습을 본 그리폰은 몸을 수그리며 뛰어올랐다. 그 속도는, 정신이 들자 어느새 단숨에 거리가 줄어들 정도였다. 그리폰의 크게 벌린 입이 다가왔다.

거미 머리에는 미란다의 상반신이 나와 있다.

손은 골렘의 팔이라서 크고, 다리는 여덟 개가 달린 모습이다.

지면을 뒤로 박차서 거리를 벌렸지만, 그리폰의 속도는 빠르다. 그리폰이 앞다리를 휘둘러서 발톱이 지면에 닿자, 그 부분이 후벼 파였다.

"이게!"

도약해서 올라타려 했지만, 그리폰은 물러나서 그대로 공중으로 도망쳤다.

올려다보자, 그리폰은 급강하해서 미란다의 하반신을 붙잡고는 다시 하늘로 날아오르려 했다.

'큰일이야! 바로 해제를—.'

이러다가는 하늘 높이 끌려 올라가서 희롱당하다 죽거나, 지면에 떨어지게 된다. 그걸 피하고 싶었던 미란다는 골렘을 해제해서 스스로 떨어졌다.

지면과의 거리는 그리 멀리 떨어지지 않았지만, 그리폰은 낙하 중인 미란다를 습격했다. 공중에서 몸을 움직이지 못한 미란다는 그리폰에게 오른손을 뻗어서 실을 감고는 억지로 몸을 움직여 궤도를 바꿨다.

그네 타는 듯한 움직임으로 발톱을 피한 뒤, 실을 버리고 그리폰에게서 거리를 벌렸다.

착지하려 하자 기세가 너무 셌는지 그대로 바닥 위를 굴렀지만, 그대로 일어났다. 그러나—.

"……정말로 규격 외네."

이미 그리폰은 미란다 바로 옆으로 내려와 있었다.

앞다리를 들어서 발톱으로 미란다를 찢어버리려 하고 있다.

'—아직이야!'

다음 행동으로 들어가려던 순간.

"내버려둘 것 같냐아아아!"

"라이엘?!"

라이엘이 달려와서 전력으로 그리폰의 머리에 무릎찍기를 먹였다—.

전력으로 달려온 내 눈에 미란다 씨를 습격하려는 그리폰이 보였다.

앞다리 발톱으로 미란다 씨를 찢어버리려 하고 있다. 그렇게 둘 수는 없기에 더욱 힘을 쥐어짜서 내달리다가— 내 무기가 없다는 것을 깨달았다.

이렇게 된 이상 아무튼 그리폰을 날려버리고자 보옥의 힘을— 아츠를 사용해서 육체를 강화해 지면을 박찼다.

그리폰의 머리를 걷어차려고 했지만, 기세가 지나쳐서 자세를 갖추기 전에 무릎으로 찍고 말았다.

그러나 클린히트다. 그러니까 아무 문제도 없어!

『그러니까 무기를 들라고 했잖아!』

『뭐 하는 거야, 라이엘』

『미란다의 위기에 늦지 않았던 건 좋군요.』

『좋아. 이대로 그리폰 퇴치다.』

『라이엘. 마음이 들뜨는구나!』

『용맹한 그리폰이구나! 사냥감으로 부족함이 없다!』

혼신의 무릎찍기를 먹여서 그런지, 그리폰이 하늘로 도망쳤다.

상공에서 걷어찬 상대를 찾다가, 미란다 씨 앞에 내가 있는 걸 확인하자 화난 듯이 발톱을 내밀더니 몇 번이고 꺄아꺄아, 끼이끼이 시끄럽게 울었다.

……귀가 따갑다.

내 뒤에서 미란다 씨가 상황을 설명해줬다.

"덕분에 살았어. 도중까지는 좋았는데, 저 녀석이 오고 나서 제멋대로 굴었거든. 나도 너덜너덜해. 여기까지 몰린 건 라이엘 이후 처음이네."

"그렇게 강한가요?"

"히포그리프와는 완전히 달라. 격이 다르다고나 할까. 내가 손도 발도 내밀지 못했어. 가진 도구를 거의 다 썼는데도 긁힌 상처만 입혔다니까."

"……그건 무섭네요."

미란다 씨는 꽤 피로한 기색이 보였다.

"아무튼 시간을 벌자. 둘러싸면 어떻게든 쓰러뜨릴 수 있을지도 몰라."

그러고 싶은 마음은 굴뚝같지만, 보옥 안의 녀석들이 시끄럽다. 조금 전부터 「일대 일! 일대 일!」 하고 손뼉을 치며 리듬감 있게 떠들어대고 있다.

나는 몸을 돌려서 웃었다.

"유감이네요. 일대 일이 월트 가의 방식이라서."

미란다 씨는 처음에는 말도 나오지 않았는지 입을 벌리며 놀라더니 말했다.

"라이엘, 죽을 수도 있어."

"죽을 생각은 없어요. 뭐, 어떻게든 할 테니까 이럴 때 회복해주세요."

미란다 씨 자신을 포함해서, 어떻게든 해줬으면 좋겠다.

전투는 아직 끝나지 않았으니까.

"자, 와라— 새 자식들의 두목."

피난소로 돌아와 상황을 확인한 모니카는 표정을 흐렸다.

"……설마 말귀를 잘 알아들을 줄 알았던 그 아이가 밖으로 나가다니."

모니카에게 사과한 것은 루카의 어머니였다.

"죄송합니다. 잠시 한눈을 판 사이에 없어졌어요. 그 아이, 라이엘 님이 히포그리프에게 쫓기는 모습을 봤거든요."

출입구의 수리를 단념하고, 일단 바리케이드를 만들었다.

'……찾으러 가야겠지만, 여기를 비울 수도 없는데 말이죠.'

루카 한 명을 위해 이 자리에 있는 피난민 전원을 위험에 처하게 할 수는 없다.

'치킨 자식에게 알리려고 해도, 지금은 전투 중. 이 자리에서 움직일 수 없다는 것도 문제고, 무엇보다……'

시선 너머에는, 히포그리프나 오우거를 가까이에서 본 노마가 떨고 있었다.

저래서는 도움이 되지 못한다.

'전령도 맡길 수 있을 것 같지 않네요.'

모니카는 당초 예정대로 이 자리의 방어를 우선하기로 했다.

잘 생각해 보면, 사브르처럼 얇은 칼로 커다란 마물에게 맞서는 건 잘못이 아닐까?

올려다볼 정도로 커다란 그리폰은 거대한 독수리 머리에 하반신은 사자…… 새인데도 사족보행으로 다니는 마물이다.

커다란 날개도 있다.

손에 든 사브르가 미덥지 못했다.

무슨 말을 하고 싶으냐면, 사람이 혼자서 도전할 만한 생물이 아니라는 거다.

끄와악! 이라든가 그와악! 으로 들리는 외침을 높이면서 커다란 부리를 내밀고 내게 돌진해왔다.

그 움직임은 재빠르고, 건물 벽에 부딪히자 구멍이 생길 정도의 위력이었다.

"웃기지 말라고! 이런 놈하고 어떻게 싸우라는 거야!"

『너라면 할 수 있다!』

『근성을 보이라고, 근성을!』

『한심하군요. 방법이라면 얼마든지 있을 텐데.』

『간단히 쓰러뜨릴 수 없으니까 좋은 거잖아.』

『라이엘, 조금은 성장한 모습을 보여주지 못하겠느냐.』

『우리도 선조들도 지나온 길이다. 참고로 옛날에는 맨손으로도 쓰러뜨렸다더구나.』

나는 너희와는 다르고, 맨손으로 싸움에 도전하는 야만인도 아니라고.

앞다리가 나를 덮쳤다. 뒷다리는 확실히 사자의 다리인데, 앞다리는 새의 다리다. 발톱이 다가오고 있어서 구르면서 피하고 베었지만—.

"단단해!"

베었을 때의 감촉이 다르다.

구르고, 피하고, 그리고 깨작깨작 공격을 반복할 뿐.

그렇다면 이건 어떠냐며 사브르를 다시 쥐고, 다가오는 그리폰을 향해 깊은 도움닫기를 하며 칼날을 내질렀다. 칼날은 그리폰의 피부를 가르고 몇 센티미터 안으로 들어갔지만—.

"젠장!"

내가 견디지 못하고 칼날을 거뒀다. 살까지 단단하다. 싫어져서 왼손을 겨눴다.

"썬더 불릿!"

마법을 날렸다. 빠직빠직 소리를 내며 빛이 그리폰을 덮쳤지만, 대단한 대미지는 없었기에 오히려 내게 돌격해왔다.

달려서 피했다.

"빌어먹으으으을!"

쫓아오는 그리폰이 하늘로 날아올랐다.

몸을 돌려 대비하자, 2대가 어드바이스를 주었다.

『진정해라, 라이엘. 확실히 적은 크고 강해 보이겠지. 실제로도 강해.』

흐트러진 호흡을 가다듬었다.

『하지만…… 세상에 죽지 않는 마물 같은 건 없어. 어떤 마물에게도 급소나 약점이 있는 법이다.』

알고 있다. 그러나 쓰러뜨리면 영웅 대접을 받는 그리폰이나 드래곤은 그런 약점이 적은 종족이다. 그래서 고생하고 있는 거라고.

보옥을 움켜쥐었다.

차라리 초대의 대검으로 처리할 수 있다면 편하겠는데, 날뛰는 야생마 같은 대검은 다루기가 힘들다. 그리폰에게 맞출 수 있으면 좋겠지만, 빗나갔을 때가 무섭다.

한 번 휘두르기만 해도 마력을 송두리째 앗아가는 대검이다. 빗나가면 그리폰의 눈앞에서 쓰러지게 된다.

접근해서 일격을 꽂아 넣는다면 좋겠지만, 애초에 그런 공격을 그리폰이 경계하지 않을 리가 없다.

내 바로 위를 선회하는 그리폰을 올려다봤다.

"접근. 접근할 수 있다면…… 맞아. 저 녀석의 등에 올라탈 수 있다면……."

생각했다. 어떻게 해야 좋을지를.

하늘에서 크게 호를 그리며 날던 그리폰이 나를 향해 급강하하는 자세를 보인 타이밍에서, 사브르의 날을 입으로 깨물었다.

양손을 펼친 나는 근처에 떨어진 로프를 잡았다. 길이도 충분. 튼튼하기도 하다.

6대가 감탄한 듯이 『호오』 하고 말했지만, 지금은 이야기할 여유가 없다.

그리폰이 급강하했다. 바로 아래쪽을 보고는 날개를 펼치며 나를 향해 똑바로 날아오고 있다.

빠르다. 긴장을 풀면 저 발톱에 사로잡히거나 몸에 구멍이 뚫릴 것 같다. 아니면 맞고 날아가서 조각조각이 나거나.

아츠를 전력으로 사용했다.

육체가 삐걱삐걱 소리를 내면서 몸에서 청백색 빛이 발생했다. 나를 태우는 불꽃은 아니다. 초대의 아츠 최종단계.

2대의 아츠로 거리를 잰다.

온 신경을 집중해서, 여기서 승부를 내기 위해 몸을 수그리고 그리폰을 기다렸다.

전력을 내는 거다. 몇 번이고 똑같은 짓을 할 수는 없다.

그리폰이 앞다리를 내밀고 나를 붙잡으려 한 순간, 로프를 양팔로 잡고 고리를 만들어서— 그걸 그리폰의 목에 걸었다. 목을 조이는 이미지다.

집중하고 있어서인지 주변 움직임이 느리고, 잘 느껴진다.

굉장한 스피드로 다가오는 그리폰의 표정, 움직임, 그것들이 선명하게 보였다.

지면을 박차고 뛰어오른 나는 그리폰의 등에 올라탔다.

그리폰이 날뛰었다.

등에 탄 나를 떨어뜨리려는 그리폰의 몸통을 허벅지로 꽉 끼워서 로프를 조여 고삐처럼 다뤘다.

"흐~짜바따아."

사브르를 물고 있어서 발음이 잘 나오지 않지만, 붙잡았다고 말하고 싶었다.

한껏 용을 쓰는 새 자식의 목을 로프로 힘껏 조였다.

그리폰이 울면서 날뛰었다.

날뛰는 야생마에 올라탄 기분이다.

그러나 말 이상으로 짐승 냄새가 심하다. 그리폰에 타고 있는데도 기쁜 마음보다 냄새 때문에 환멸이 난다. 덤으로 사자 몸통 부분은 털이 좋아서 보드라운 느낌도 있지만, 묘하게 끈적끈적한 감촉이 나서 최악이다.

날뛰는 그리폰이 건물에 돌격해서 벽을 부쉈지만, 나는 여전히 떨어지지 않았다.

전력으로 그리폰을 조였다. 괴로운지 입에서 대량의 침이 나오고 있었다.

그리폰이 날아올랐다.

―성가시네.

"내버려 두꺼 간냐아."

마력을 쥐어 짜내서 전력으로 마법을 사용했다. 불이라면 로프가 탄다. 번개도 같다.

그러면 남은 선택지 중에서 가장 좋은 건 물이다.

"워터…… 스톰!"

지면에서 물이 뿜어져 나와 소용돌이를 그리며 나와 그리폰을 둘러쌌다. 그 기세는 굉장해서, 그리폰조차도 거스르지 못하는 물의 회오리를 만들었다. 그 안은 흡사 폭풍우 치는 바다와 같다. 격렬하게 휘둘러서 숨을 쉴 수가 없다.

몸이 단숨에 하늘로 올라갔다.

정신이 들자, 구름이 보였다. 구름 높이와 같은 곳까지 올라와 있었다.

……너무 지나쳤나.

『……뭐야 이거?』

3대의 아연실색한 목소리.

2대도 놀라움을 감추지 못했다.

『어, 마법? 방금 그 물의 회오리가 라이엘의 마법?』

나도 놀랐다. 설마 이 정도의 위력일 줄은 몰랐으니까. 아무튼 눈이 핑핑 돈다. 정신을 놓으면 그리폰의 등에서 떨어질 것 같다.

아래를 보니, 우리가 싸우는 도시가 정말로 작게 보였다. 정말로 작은 곳에서 싸우고 있었다는 걸 깨닫게 된다.

그리폰도 갑자기 내동댕이쳐져서 방향 감각을 잃었는지 하늘에서 휘청거리고 있었다. 가까스로 평형감각을 유지하고 날고 있는 상태다.

지금이 기회지만, 이런 높이에서 그리폰을 처치하면 나도 같이 추락해서 목숨을 잃고 만다.

마력도 한계다. 다시 똑같은 마법을 사용해서 낙하 속도를 줄이는 그런 약삭빠른 짓도 불가능하다.

물에 젖은 상태로 하늘 높이 날아와서 그런지, 몹시 춥다.

숨이 하얗다. 체온과 함께 기력도 빼앗기는 것 같다. 몸에서 뿜어져 나오는 푸른 불꽃도 사라지고 있다.

나의 한계도 가깝다.

그리폰은 천천히 고도를 내렸다.

이대로 아래까지 도착했으면 좋겠지만, 그 전에 이 녀석이 정신을 차리고 나를 떨어뜨릴 수도 있다.

눈앞이 흐릿해질 것 같다.

그때―.

『라이엘, 심장을 노려라.』

2대의 목소리가 들렸다.

『이 녀석들은 아무튼 강인해. 특히 그리폰은 몸이 꿰뚫려도 한동안은 날뛰는 일도 드물지 않아. 심장을 찔러라. 그래도 이 녀석은 약해진 상태에서도 어찌어찌 날 수는 있을 거다. 너를 신경 쓸 여유는 없어지겠지만.』

심장…… 그래도 어디에 있는지 모른다.

『내 아츠가 있잖아? 감각을 날카롭게 세우면 상대의 고동마저 느낄 수 있을 거다.』

2대의 아츠가 적의 체내 상황을 알려준다.

고삐를 놓고 사브르를 쥐었다.

『등에서 뼈 사이를 노려 찔러라. 알겠지? 일격으로 처리해라.』

"……네."

집중하자, 마치 몸 안쪽까지 보일 것만 같았다. 두근대는 심장 고동이 느껴지고, 뼈의 위치까지도 정확하게 알 수 있었다.

두꺼운 털과 피부.

그것들을 관통하기 위해, 양손으로 사브르 자루를 쥐고— 전력을 다해 칼을 박았다.

등에서 심장을 향해 날아간 칼날이 그리폰의 체내를 파고 들어갔고, 끄트머리가 심장에 닿았다. 사브르를 한계까지 꽂았다.

그러자 그리폰이 날뛰었다. 심장을 찔렸는데도 여전히 저항하는 그리폰의 모습은 정말이지 어이가 없을 뿐이었다. 사브르는 여전히 꽂혀있다. 날뛰면 날뛸수록 상처가 벌어지는데도 얌전히 있어 주지 않는다.

추위 속에서 그리폰의 피가 내게 뿌려졌다. 피는 따스했다.

사브르를 있는 힘껏 쥐었다.

"바깥은 안 되더라도 안쪽이라면— 이건 어떠냐아아아!"

아끼지 않고 마법을 날렸다. 내 몸에서 번개가 발생하며 사브르를 통해 그리폰의 체내로 흘러 들어갔다.

방전으로 인해 그리폰의 목을 조이던 밧줄이 타서 잿더미가 되었다. 몸에서 남은 마력을 쥐어 짜내서 모든 것을 마법으로 바꿨다. 번개가 내 몸에서 불꽃처럼 피어나 주변에 흩어졌다.

그런데도 그리폰은 저항하고 있으니, 이 강한 생명력은 정말이지 이상하기 그지없었다.

그리폰이 한 번 크게 울자, 탄 숨결이 나왔다.

"아직, 멀었어어어어!"

그리폰은 계속 날뛰었지만, 꽂힌 사브르에서 흐르는 번개가 체내를 태우자 마비된 입에서 하얀 연기를 토했다.

점차 마법이 잦아들고, 호흡이 흐트러진 나도 한계가 왔다.

사브르를 뽑자, 그리폰의 등에서 타버린 살냄새가 났다. 하늘 위, 하얀 연기는 아마 증기겠지. 강한 바람에 휩쓸려 갔다.

여기까지 오자, 그제야 그리폰의 움직임이 약해졌다.

사브르를 봤다.

"명품이라고 들었는데…… 용케 버텼네."

그리폰이 상대인 데도 부러지지 않고, 내 마법에도 견딘 사브르가 믿음직스러워 보였다.

『라이엘, 잘했다!』

2대가 칭찬했다. 자기 일처럼 기뻐하고, 좋아하는 목소리가 따스했다.

그리폰이 비통한 목소리로 하늘 높이— 멀리 울려 퍼지듯이 외치며 날뛰기 시작했다. 그저 떨어지는 것에 거스르기 위해 날개를 펄럭이며 열심히 버둥거리고 있다. 지금까지와 다른 것은, 약하다는 것뿐이다.

지면이 다가오자, 도시의 외벽이 보였다.

"저기는— 아리아 씨가 있는 곳인가?"

전투는 끝난 것처럼 보였다.

하늘을 경계할 필요도 있기에, 도시 바깥으로 나와 마물과 싸운 흔적도 보인다.

사방의 모두가 승리했다.

—즉, 우리의 승리다.

『뭐야, 아리아도 소피아도 열심히 했구나.』

2대의 기뻐하는 목소리가 들렸다.

나도 이젠 한계에 가까워서, 아츠 사용을 중단하고 그리폰에게 달라붙었다.

그리폰은 휘청거리면서 하늘을 날아 외벽에 접근했다. 방향 제어도 하지 못하게 된 그리폰은 벽에 격돌해서 뚫고 나왔다.

그 충격으로 나도 공중에 내던져졌다.

"라이엘!"

떨어진 나를 받아준 것은 피투성이가 된 아리아 씨였다. 차가워진 몸에 아리아 씨의 따스함이 전해졌다.

아리아 씨는 지면을 미끄러지며 착지했다.

"아, 겨우 지면이네."

"라이엘, 너 엄청 젖었잖아! 게다가 왠지 차가워."

지금은 부끄러우니 뭐니 그런 말을 할 수가 없다.

시선을 그리폰에게 돌리자, 기사나 병사들이 둘러싸고 낌새를 살피고 있었다. 도저히 살아있는 것처럼 보이지는 않지만, 경계하고 있는 건 고맙다.

아리아 씨의 품— 따스해서 기분이 좋았다.

"……잠깐만 이대로 부탁해요. 정말 추워서 견딜 수가 없네요."

아리아 씨의 얼굴이 새빨갰다.

"……상관은 없는데, 나는 피가 튀어서 더러워."

"아, 신경 쓰실 것 없어요. 저도 피투성이고, 덤으로 짐승 냄새까지 나니까요. 흠뻑 젖어서 춥다고요."

어느새 저녁이 되어있었다. 하늘에는 잿빛 구름이 보인다.

"내가 더 낫네. 자, 어깨 빌려줄 테니까 일어서. 이대로 가면 감기 걸려. 모두에게 데려가 줄 테니까."

"고마워요."

겨우 끝났다고 생각해서 안도했지만, 긴장이 풀려서 몸의 힘도 쭉 빠졌다. 그러나 여느 때처럼 정신을 잃지는 않을 것 같아서 그건 기쁘다.

보옥 안에서는 박수까지 들려왔다.

『이걸로 라이엘도 한 사람 몫을 하게 됐나. 이제 가르칠 게 없어.』

『아니~ 그건 과연 어떨까? 아직은 철부지니까.』

『익혀야 할 것은 많습니다만, 이걸로 라이엘도 한 사람 몫을 하게 되었군요.』

『꽤 크고 강했어. 이러면 불평이 나올 일도 없겠네.』

『그렇죠. 하지만, 제 무렵에는 좀 더 크고 교활하고 강한 그리폰을―.』

『자랑 이야기는 나중에 하시죠. 라이엘, 잘했다. 역시 월트가의 남자다.』

······정말로, 이 사람들은 떠들썩하다. 그리고 믿음직한 사람들이다. 언제나 떠들썩하고, 자유롭다. 마구 휘둘리는 내게는 민폐나 다름없지만······ 쓸쓸하지는 않았다.

저택에 있을 무렵과 비교하면 정말 따뜻하다. 이 떠들썩함도 행복으로 느껴진다.

"라이엘, 설 수 있어?"

"어떻게든."

아리아 씨가 어깨를 부축해줘서 일어나자, 멀리서 루카의 모습이 보였다.

"어라…… 왜 저 녀석이 바깥에 있지?"

━루카는 피난소를 뛰쳐나왔다.

라이엘의 안부가 신경이 쓰였기 때문이다.

"맞아. 높은 곳으로 올라가면 바로 찾을 수 있댔지━."

아버지를 잃은 루카에게 자신을 돌봐준 라이엘은 형 같은 존재였다. 어째서 다정하게 대해주는지 물어보니 「그 사람들의 부탁과 속죄, 려나?」라고 말했다.

잘 모르겠지만, 루카도 라이엘에게 친근감을 느끼고 있었다.

그런 라이엘이 히포그리프에게 쫓기는 모습을 봤다. 불안해서 밖으로 나온 것은 아직 어리기 때문이리라.

작은 몸으로 도시의 어느 고지대로 올라갔다. 그곳에는 낡은 망루가 있었다. 너덜너덜하게 망가져서 라이엘이 지휘를 맡을 장소로 고르지 않았던 곳이다. 목재 일부가 썩어서 어른이 올라가면 삐걱대며 흔들린다.

그러나 어린이인 루카라면 올라갈 수 있었다. 부모님은 위험하다고 했지만, 도시 아이들은 언제나 이곳에서 논다. 루카에게도 익숙한 곳이었다.

올라가서 라이엘이 어디에 있는지 찾아보자, 벽에서 격렬한 소리가 들렸다.

"벼, 벽이 부서졌어?!"

루카가 놀랐다. 벽이 파괴되면 마물들이 들어온다는 것을 알기 때문이다. 그러나 낌새가 이상했다.

어른들이 환성을 지르고 있었다.

잘 보니, 라이엘의 모습이 있었다.

사냥꾼의 자식인 루카는 시력이 좋아서 그 광경이 잘 보였다.

라이엘의 무사한 모습— 그리고 근처에는 움직이지 않게 된 그리폰이 쓰러져 있었다.

루카는 기뻐서 크게 손을 흔들었다.

"라이엘 님이 이겼구나! 아빠의 적을 쓰러뜨린 거야! 와~아!"

기쁜 나머지 소리를 지른 루카는 라이엘에게 손을 계속 흔들었다.

제76화 후회

멀리 고지대를 보자 루카가 손을 흔들고 있었다.

왜 밖으로 나왔는지 따지고 싶었지만, 기뻐 보이는 얼굴을 보니 뭐라 말할 수가 없었다.

아리아 씨가 웃었다.

"루카, 정말로 라이엘을 잘 따르네."

"다정한 아이예요. 하지만 위험하니까 돌아오라고 해야겠네요. 저 망루, 썩어서 위험하니까요."

멀리 있어서 뭐라 하는지는 들리지 않았다. 전신으로 기쁨을 표현하고 있다는 건 알 수 있다. 그러나 장소가 좋지 않다.

망루가 무너져서 다치지 않을까 걱정됐다.

"저기, 왜 쟤를 돌봐주는 거야?"

아리아 씨의 소박한 의문을 들은 나는 대답을 망설였지만, 살짝 웃으며 말했다.

"친척이니까요."

"어, 그랬어?"

"아니, 그랬으면 좋겠다고 생각할 뿐이에요."

"뭐야 그게."

뾰로통해진 아리아 씨에게 사과하면서 루카에게 시선을 보냈다. 아리아 씨에게 이것저것 물어봤는데, 아무래도 전투는 거의 끝난 모양이다.

"이후에는 거리에 마물이 없나 조사하면 되겠네. 바로 사람을 모을게."

도시 안에 마물이 남아있으면 위험하다.

"……제 쪽에서 조사할게요."

"고마워. 이제 다들 한계에 가까우니까."

피곤한 아리아 씨의 표정을 보면 알 수 있다. 주변 사람들도 승리에 들떠 있지만, 다친 사람도 많았다.

"발견하면 사람을 보내기로 하죠. 저도 이제 한계라서—"

편리한 아츠 덕분에 쉴 수 있겠다고 생각하고 있는데, 머릿속 지도에 붉은 반응 하나를 발견했다.

"—어, 어라?"

"왜 그래?"

"아뇨. 하나 반응이…… 이 반응은……."

"잔챙이야? 그리폰도 히포그리프도 쓰러뜨렸으니까, 이제 안심이잖아."

천천히 움직이는 반응이 보인다.

"히포그리프는 전부 쓰러뜨렸죠?"

"응, 맞아. 각각의 문에 하나씩 쓰러뜨렸고, 미란다가 합계로 두 마리 쓰러뜨렸잖아. 남은 하나는 거리에서 리오넬이 쓰러뜨렸다고 하던데…… 왠지 믿을 수가 없네."

루카와 달리 그 녀석은 어째서 비뚤어진 걸까.

확인한 지도상의 붉은 점은 천천히 푸른 점으로 접근하고 있었다.

그곳은 아무리 생각해도 루카가 있는 고지대—.

나는 아리아 씨에게서 떨어져서 그대로 내달렸다.

"잠깐, 왜 그래. 라이엘!"

외치는 목소리가 보옥에서 들려왔다.

『라이엘! 서둘러 루카를 구해라!』

누구의 목소리인가 했더니, 2대의 목소리였다.

멀리 보이는 것은 망루에 오른 루카의 모습.

루카가 있는 고지대에 접근하고 있는 건, 날개가 한쪽만 남은 히포그리프였다. 심각한 상태인데도, 고지대에 모습을 드러낸 히포그리프의 눈은 루카를 보고 있었다.

"……리오넬. 저 녀석을 끝장내지 않았던 거냐!"

내달리면서 리오넬을 향한 불만을 차례차례 터뜨렸다. 생각처럼 다리가 움직이지 않는다. 몸이 매우 무거웠다.

운이 나쁘게도, 루카 주변에 사람은 없다. 도와줄 사람이 없다.

"……큭!"

최악의 결과가 머리를 스쳤다.

루카가 있는 곳도 좋지 않다. 망루 위에서는 도망칠 곳이 없다. 뛰어내리기에는 높다. 다치면 움직일 수 없다. 그 이전에……루카는 아직 알아채지도 못하고 있다.

"……도망쳐."

아리아 씨가 나를 걱정하며 달려왔다.

"라이엘, 정말로 무슨 일이야!"

"도망쳐! 루카, 거기서 도망쳐야 해!"

있는 힘껏 목소리를 쥐어짰지만, 루카에게는 들릴 리가 없었다. 신나서 그런지, 뒤에서 다가오는 히포그리프를 알아채지 못하고 있다.

천천히 루카에게 다가온 히포그리프는 확실히 나와 싸운 히포그리프다. 리오넬이 끝장을 냈어야 했다.

아무리 서둘러도 늦지 않게 도착할 거리는 아니다.

내 발이 멈췄다.

아리아 씨도 상황을 알아챈 모양이다. 고지대를 보고 얼굴이 새파래졌다.

"거짓말이지…… 저거, 전부 쓰러뜨렸다면서."

아리아 씨가 루카를 구하기 위해 아츠를 사용하자, 몸에 통증이 느껴졌는지 그 자리에서 무릎을 꿇었다. 이변을 알아챈 사람들이 모였다.

"누구라도 좋으니 서둘러 고지대로 향해라! 아이가 히포그리프에게……!"

병사들이 황급히 달리려 했지만, 분명 늦다.

현재 상황을 올바르게 알아챈 나는…… 이대로 가면 늦다는 걸 알 수 있었다.

버릇처럼 뻗은 손은 보옥을…… 잡지 않고 손을 움켜쥐었다.

주저하고 말았다.

그 마음을 알아챈 2대가 말했다. 그 목소리는, 조금 떨리고 있었다.

『라이엘…… 알고 있는 거겠지?』

왼손을 움켜쥐며 고개를 수그렸다.

『너, 사실은 내 아츠를 쓸 수 있는 것 아니냐? 저런 거리다. 내 아츠라면 확실히 늦지 않을 수 있어. 게다가, 아버지처럼 무기가 나온다면…….』

눈물이 나올 것 같았다.

무척 옛날 일처럼 느껴진다.

내가 가진 기억은 가장 오래된 것이 열 살 전후.

부모님이 다정하게 대해준 기억은 있지만, 너무 애매해서 언제였는지 기억나지 않는다. 가족이 있고, 조부모가 있고…… 나를 소중히 대해주던 애매한 기억은 있다.

또렷한 기억은, 방에 갇혀있던 기억부터 시작한다.

방에는 수많은 책이 있었다. 따스한 침대도 있었다. 식사도 준다.

그러나, 아무도 나와 얽히려 하지 않았다.

식사를 가져다주는 고용인에게 말을 건 적이 있었다.

"고, 고마워."

뭔가 계기라도 잡고 싶어서 꺼냈던 말. 열 살 무렵, 나는 내가 무슨 잘못을 저질러서 이런 대우를 받는 건가 싶었다.

고용인 여성은 그런 나를 멸시가 담긴 시선으로 내려다봤다.

식사가 올라간 손수레를 걷어차서 복도에 요리를 쏟았다.

"······어?"

"죄송합니다. 흘리고 말았네요."

고용인은 그렇게 말하며 떠났다. 그 후, 새로 식사를 가져오는 일은 없었다.

나는 무엇이 문제였는지 고민했다.

인사를 해도 무시당한다. 말을 걸어도 노려본다.

기억에 있는 저택의 광경은 따스했는데, 현실은 가혹했다.

세레스— 여동생이 부모님과 식사를 하는 게 부러웠다. 나도 저곳에 낄 수 없을까 필사적으로 생각해서, 인정받기 위해 안뜰로 나와 검을 휘둘렀다.

마법 연습도 노력했다.

그러나, 저택의 누구도 인정해주지 않았다.

나를 구해준 정원사 젤과도 당시에는 접점이 없고, 만날 일도 없었다. 그러나 생각해 보면 내가 어지럽힌 뜰을 정리해준 건 젤이었을지도 모른다.

피곤한 몸으로 방으로 돌아가려 하자, 고용인들이 모여서 이야기를 하고 있었다.

"아아, 세레스 님은 어쩜 그리도 존귀하실까."

"정말로 아름다우셔. 그에 비해······."

"적자는 왜 저렇게 못난 걸까. 월트 가의 수치야."

일부러 옆을 지나갈 때 그런 말을 한 것이리라.

나는 그게 싫어서 견딜 수가 없었다.

그래도 언젠가. 노력하면 분명. 노력은 보답받으리라 믿어왔다.

넓은 저택에 살았다.

그러나 내가 사용해도 좋은 건 자기 방과 뜰뿐. 그것도 가족이 뜰에 있을 때는 방해된다며 방에서 나오는 것도 금지됐다.

지금 생각해 보면 매우 좁은 세계였다.

검과 마법. 그리고 방에 있는 책을 읽기만 하는 생활이었다.

의복이나 필요한 물건은 줬다. 그건 행복한 일이었을지도 모르지만, 부모님에게 드레스를, 그리고 다양한 물건을 받는 세레스가 부러웠다.

누구도 나를 봐주지 않는 저택에서 얼마나 발버둥 쳐왔을까? 얼마나 노력해왔을까? 하지만, 그런 노력도 세레스 앞에서는 무의미했다.

검을 든 지 얼마 되지도 않았던 세레스에게 패해서 쫓겨나게 되었다.

부모님은 처음부터 나를 보지 않았다.

모든 것이 싫어졌다. 바보 같아졌다. ……그런 때였다.

시끄러운 그들— 역대 당주들이 나타났다.

노웸이 곁에 있어 주는 것도 기쁘다. 많은 사람들이 함께 여행하는 것도 즐겁다.

솔직히 샤논과의 대화도 싫지는 않다.

미란다 씨하고는 곤란한 일도 겪었지만…… 나를 봐준다. 그게 부끄러워서, 어떻게 해야 좋을지 모르겠다. 그러나 싫지는 않았다.

사람과 말다툼을 하는 게 무서워서 소극적이었던 건, 미움받고 싶지 않아서였을까?

그건 그렇고 문제는 역대 당주들이다.

그들은 정말로 시끄럽고 사양도 하지 않는다. 그렇기에 나도 맨얼굴을 드러낼 수 있었던 걸지도 모른다.

불평을 들으면 반박을 한다.

그런 관계는, 내게는 무척이나 기분 좋았다.

그래도, 초대가 사라졌을 때.

이런 상황이 계속…… 언제까지나 이어지지 않는다는 걸 알게 되었다.

내게 아츠를 가르쳐주면 역대 당주들은 사라진다.

그런 건…… 쓸쓸하잖아.

『라이엘!』

2대의 목소리로 의식이 되돌아왔다.

『알겠냐? 잘 들어라. 네게는 이 상황을 타개할 수 있는 힘이 있다. 나는 네가 루카를 구해줬으면 좋겠다. 이봐, 이제는 할 수 있지? 너, 지금까지 일부러 실패한 거지?』

천천히, 떨리는 왼손으로 보옥을 움켜쥐었다.

"……그치만, 그건 쓸쓸하잖아요. 아츠는 지금 이대로도 충분하고, 저는 좀 더……!"

아리아 씨가 분한 듯한 목소리를 쥐어 짜냈다.

"라이엘. 미안. 나…… 구하러 갈 수 없어."

……지친 아리아 씨에게는 무리다. 실제로 몸이 아츠 사용

을 견디지 못해서인지 아까부터 괴로워 보였다.

루카의 웃는 얼굴이 떠올랐다.

동시에, 2대에게 안긴 듀이의 모습도 떠올랐다.

『이봐, 부탁한다. 라이엘. 나는…… 아이가 죽는 모습을 두 번 다시 보고 싶지 않아. 저 아이가 살아줬으면 좋겠다. 나의 어리광이야.』

몸이 떨린다.

2대는 루카와 닮은 자식을 잃었다. 그걸 지금도 후회하고 있다는 건 알고 있다.

『나는 늦었다. 약속을 깨서 자식이 죽은 것을 줄곧 후회하고 있었지. 너도 이대로 나와 같은 후회를 짊어질 거냐?』

고개를 들자, 루카는 그제야 이변을 알아채고 있었다.

루카는 벽에서 병사들이 이쪽을 향해 뭔가 말하는 것을 느꼈다.

"……나?"

주변을 보자, 한쪽 날개와 앞다리를 하나 잃은 히포그리프가 목에서 피를 뿜으며 루카가 있는 망루를 향해 몸을 질질 끌며 다가오는 게 보였다. 바로 근처까지 다가왔는데도 깨닫지 못하고 있었다.

루카는 무서워져서 망루 위에 주저앉았다.

"히익!"

히포그리프는 괴로워하면서도 증오의 눈을 루카에게 보내

며 망루에 앞다리를 올렸다. 낡은 나무는 간단히 무너졌고, 루카는 기울어지는 망루에 달라붙었다.

"누, 누가 좀…… 살려줘요. 아빠!"

도움을 요청한 것은, 지금은 세상을 떠난 루카의 아버지였다. 루카의 울먹이는 외침이, 고지대에 울려 퍼졌다.

루카가 도움을 요청하는 소리가 들린다.

아버지에게 구해달라고 외치는 아이의 목소리다.

『너는 그래도 괜찮은 거냐! 나는 절대 용납할 수 없어. 절대로! 뭘 고민할 필요가 있는 거냐? 너는 할 수 있잖아. 루카를 구할 수 있잖아! 저 아이는 너의 도움을 바라고 있다고!』

그래. 나는 할 수 있다. 할 수 있지만…….

『죽은 인간과 살아있는 인간을 저울질하는 건 그만둬라! 우리는 이미 죽었어. 보옥에 있는 건 기억이다. 남은 찌꺼기 같은 거라고! 저 아이에게는 미래가 있어. 아직 저렇게나 어리잖아. 저 아이는 앞으로도 즐거운 일과 행복한 일을 잔뜩 경험할 거다. 우리와는 다르다고!』

기억인 역대 당주들은 보옥 밖으로 나올 수 없다. 이 세상에 간섭하려면 나를 통할 수밖에 없다.

『내가 사라지는 건 괜찮아. 너의 도움이 된다면 바라는 바다! 네게 나의 아츠를 가르친 것은, 강해지길 바랐기 때문이야! 네게는 저 아이를 구할 힘이 있잖아. 나와는 달라.』

2대의 격노한 목소리가, 연약하게 변했다.

『……이봐, 라이엘. 부탁한다. 나의 이기적인 소원을 들어다오. 나는 이제, 아이가 죽는 건 보고 싶지 않아. 보고 싶지 않다고.』

눈물이 흘렀다. 이제 참을 수가 없었다.

왼손에 움켜쥔 보옥을 뜯어내듯이 벗기자, 체인 부분이 똑바로 뻗었다. 보옥을 중심으로 좌우로— 아니, 위아래로 쭉 뻗자 금속이 액체가 되어 부풀어 올랐다.

"잠깐만, 라이엘. 대체 뭘—."

아리아 씨에게서 천천히 떨어져서, 왼손에 든 은색 무기의 형태를 봤다.

그것은 『활』이다. 2대가 가지고 있던 활의 흔적이 남은 은색의 활.

단, 활시위는 없다.

보옥이 푸른 빛을 발했다.

은색의 활에 푸른 빛의 활시위가 나타났다. 그걸 손가락으로 잡아당기자, 빛이 나오며 화살의 형태를 만들었다. 처음에는 애매했던 화살의 형태가 점점 또렷하고 정밀한 형태를 이뤄갔다.

그건 빛의 화살이다.

"이 거리에서는 닿지 않아."

내가 중얼거리자, 활은 주인의 목적을 이루기 위해 모습을 바꿨다. 활은 커지고, 대궁으로 모습을 바꿨다.

내 키를 넘어서까지 커진 활. 화살도 커졌다. 마법의 빛으로 만들어진 화살이 노리는 것은, 멀리 떨어진 히포그리프.

2대의 3단계— 최종단계 아츠는 【셀렉트】.

멀리 떨어진 히포그리프를 겨누자, 나는 마법진의 표식이 찍힌 것을 봤다.

"라이엘, 울어?"

아리아 씨가 물었지만 대답하지 않았다.

이를 악물었다.

2대의 다정한 목소리가 들렸다.

『라이엘. 너는 다정한 아이야. ……고맙다.』

"……큭!"

손가락을 놓았다. 그러자 화살은 엄청난 속도로 히포그리프를 향해 일직선으로 날아갔다.

루카도 히포그리프도 이쪽을 깨닫지 못했다.

히포그리프는 입을 크게 벌려서 망루에서 떨어지려는 루카를 기다리고 있었다. 망루는 너덜너덜하게 부서졌고, 루카도 당장 떨어질 것만 같았다.

빛의 화살은 히포그리프의 머리에 명중해서 그대로 뚫고 지나가 구름 낀 하늘을 관통했다.

조금 늦게 히포그리프의 머리가 터졌고, 구름도 꿰뚫린 부분부터 광범위하게 구멍이 벌어졌다.

그 광경을 본 아리아 씨가 말했다.

"……굉장해."

주변에서 환성이 들려왔다.

힐끔 양손을 내리자, 활은 보옥— 목걸이로 돌아갔다. 보옥을 움켜쥐었다.

……2대의 반응은 사라지고 있었다.

무릎을 꿇고 보옥을 양손으로 움켜쥐며 가슴팍으로 가져갔다.

"죄송……해요. 죄송해요."

울면서 사과하자, 2대의 다정한 목소리가 들려왔다.

라이엘의 괴로운 듯한 사과의 목소리가 들려왔다.

"죄송……해요. 죄송해요."

2대는 루카가 망루에서 떨어져서 주저앉은 광경을 바라봤다. 눈앞에서 히포그리프의 머리가 터지며 쓰러졌으니 놀라는 것도 어쩔 수 없다. 다치지 않은 모습을 보고 주변도 안도했다.

그 모습을 본 2대는 몸에서 푸른 빛의 입자를 발하며 그날의 광경을 떠올리고, 라이엘과 루카에게 자신을 겹쳐보고 있었다.

빗속에서, 듀이가 죽기 전에 달려올 수 있었던 자신의 모습을 상상했다.

울고 있는 라이엘에게 말을 걸었다.

『바보, 사과해야 하는 건 내 쪽이야. 라이엘, 정말로 고맙다.』

사라져가는 2대의 모습을 보던 3대가 의자에서 일어나 손을 뻗었다.

『……아버지.』

2대의 몸이 빛에 휩싸였다.

『아버지 그 자식은 며칠은 남아있었는데, 나는 여기까지구나. 슬레이, 뒤를 부탁한다. 너희에게도 부탁하마. 라이엘은…… 착한 아이야.』

4대가 살짝 끄덕였다.

『걱정하지 마세요. 라이엘은 괜찮을 겁니다.』

5대는 머리를 긁적였다.

『그리폰 퇴치를 달성했잖아. 어엿한 월트 가의 남자야. ……아무 걱정할 것 없어.』

6대는 웃었다.

『2대— 뒷일은 걱정하지 마시길. 뭐니 뭐니 해도, 우리가 붙어있으니까요.』

7대가 2대의 얼굴을 바라봤다.

『이렇게 역대 당주들이 얼굴을 마주하고 있는 것도 신기한 일이죠. 하지만, 라이엘은 운이 좋습니다. 초대나 2대의 진짜 마음을 살아있을 때 알게 되었으니까요.』

2대가 부끄러운 듯이 웃었다.

『……그럼, 좋겠지만. 나도 아버지도 소영주. 특히 나는 수수해서, 뭔가 기록을 남길 만한 일을 한 것도 아니야. 그래도, 라이엘이 무언가를 느껴줬다면 기쁘겠어. 좀 더 도움이 되는 것들을 가르쳐주고 싶었는데.』

울고 있는 라이엘의 목소리가 들려왔다.

2대— 크라셀은 루카의 모습을 봤다.

간발의 차이로 살아난 모습을 보며, 듀이의 모습을 겹쳐봤다.

『라이엘…… 너는 이제 괜찮아. 나보다 훌륭해. 너를 만나서…… 정말 다행이었다.』

머나먼 미래에 사는 자손의 얼굴을 볼 수 있었다.

루카— 자신의 아이와 똑 닮은 아이를 구하는 모습을 봤다.

라이엘이…… 확실히 결단해주었다.

2대는 사라져갔다.

푸른 빛의 입자가 되면서, 마지막 말을 남겼다.

『마지막까지 수수하네. 아버지처럼 멋있게 사라지고 싶었어—.』

원탁의 방에서 또 한 명이 사라졌다.

2대가 앉아있던 의자도 사라지고, 그 뒤에 있던 문도 사라졌다.

나타난 것은 은색의 활.

은색의 대검과 마찬가지로 떠 있다.

원탁의 방의 2대가 있던 곳에, 아름다운 은색의 활이 나타났다.

승리 후.

도시 전체가 크게 웅성거렸다.

술이나 요리를 나눠주고, 살아남은 기사나 병사들이 소란을 부렸다.

인사와 승리 선언을 한 뒤, 나는 회장을 빠져나와서 추운 하늘 아래 모포를 덮고 밤하늘을 올려다봤다.

달이 아름다웠다.

추위가 몸에 스며들지만, 왠지 아무래도 좋아졌다.

건물 지붕에 올라 혼자 지내고 있는데, 연회장에서 떠드는 동료들의 목소리가 들렸다.

기세등등한 소리에 끼어서 에바 씨가 노래를 부르고 있었다.

무척 즐거워 보이지만, 참가하고 싶지는 않았다.

그런 지붕 위에서. 사다리를 오르는 발소리가 들려왔다.

아리아 씨다.

몸 이곳저곳에 붕대를 감고 있고, 약 냄새도 났다. 그만큼 애썼던 것이리라.

소피아 씨는 기절한 듯이 잠들었고, 미란다 씨도 오늘은 움직이는 게 힘든 모양이다.

노웸은 부상자 치료. 모니카는 도우미.

샤논은…… 연회에 참가했다. 그 녀석은 언제나 자유롭다.

클라라 씨도 노웸을 돕거나 서류 정리를 해주고 있고, 사실은 나도 일해야 한다. 그러나 의욕이 생기지 않았다.

"이런 곳에 있으면 감기 걸려."

아리아 씨가 가져온 것은 따스한 수프였다. 컵이 두 개. 물통에 넣어서 가져온 모양이다.

컵에 수프를 부어서 나눠줬다.

"자. 뜨거우니까 조심해."

"……고마워."

내 옆에 앉은 아리아 씨도 따스한 수프를 마셨다.

한 모금 마시자 차가운 몸에 따스함이 스며들었다.

"무슨 일이 있었는지는 모르겠지만, 오늘은 왜 그랬어? 도중에 갑자기 울어서 걱정했잖아."

그 후. 루카를 구한 나는 아리아 씨에게 안겨서 이동했다.

내 낌새가 이상해 보였으니 걱정이 된 거겠지.

미안한 일을 했다.

"뭐, 이것저것…… 오늘은 정말 고마워. 큰 도움이 됐어."

"말하고 싶지 않다면 그래도 상관없지만. 노웸도 미란다도 그리 따지고 싶지 않은 모양이니까 나도 묻지 않을게."

무슨 일이 있었는지 설명하려면 조금 시간이 필요하다. 지금의 내게는 그게 힘들었다.

"두 사람이 그런 말을?"

"응. 에바는 이것저것 묻고 싶어 했지만, 노웸이 주의를 주니까 참겠다고 하더라. 소피아는 애초에 상황을 모를지도? 휘청거리다가 몸을 닦고는 자버렸어. 그러고 보니 소피아는 아직도 가슴이—."

어떻게든 말을 이으려고 화제를 던지던 아리아 씨가 소피아 씨 이야기를 했다. 남자인 내게 가슴이 커졌다든가, 옮길 때 그 커다란 가슴이— 그런 이야기를 하면 쓴웃음을 지을 수밖에 없다.

자기도 곤란하다고 생각했는지, 얼굴을 붉히며 시선을 돌리고 부끄러워했다.

"미, 미안. 그만 평소 분위기대로 해버렸네."

여자끼리의 분위기가 있는 건가?

그렇게 생각하면, 아리아 씨도 무척 모험가 여성답게 변했다. 이게 좋은 건지는 모르겠지만, 믿음직하기는 하다.

달을 올려다봤다.

그러고 보니, 초대가 사라진 뒤에도 둘이서 달을 올려다봤다.

그때는 내가 뭔가 말했다가 따귀를 맞았지만, 여전히 이유는 수수께끼다.

역대 당주들은 이유를 알고 있는 모양이지만, 내게 가르쳐 주지 않았다.

조만간 누군가에게 이야기를 들어보기로 하자.

"……왠지 슬퍼 보이네. 그리폰을 퇴치했는데 기쁘지 않아 보여."

"대가가 커서, 그런 걸지도."

"피해가 전혀 없는 건 불가능해. 함께 싸웠던 기사들이 한 말인데, 그 숫자나 그리폰을 상대로 승리한 건 기적이라더라."

트릭도 장치도 있는 기적이다.

내 입장에서는 그냥 이길 수 있는 싸움이었다. 그런 싸움에서 2대를 잃고 말았다.

……사실은 좀 더 제대로 된 이별을 하고 싶었는데.

나는 마지막에 2대의 얼굴을 볼 수조차 없었다.

누군가를 원망하고 싶은 마음도 있다.

그러나 누구를 원망하지? 끝장을 내지 않았던 리오넬? 자기 위치에서 벗어났던 모니카? 아니면 밖으로 나온 루카?

히포그리프를 끝장내지 않았던 건 나도 마찬가지다.

모니카는 내 위험을 감지해서 우선도를 변경했다. 그 결과 루카가 피난소에서 뛰쳐나가고 말았지만, 그걸 질책해봤자 별 수 없다.

루카를 질책할까? 2대는 그런 걸 바라지 않을 것이다.

결국 내가 2대에게서 아츠를 제대로 습득하고, 제대로 된 이별을 했다면 문제없었다.

안일하게 이별을 미뤘던 내 잘못이다.

그런 생각이 들어서 고개를 수그리자, 컵이 떨어지는 소리가 들렸다.

정신이 들자 내 어깨에 머리를 올린 아리아 씨가 숨소리를 내며 잠들어 있었다. 피곤했던 거겠지.

나는 모포를 아리아 씨에게 덮어주고 업었다.

"……아리아 씨. 따스하네."

등에 체온을 느끼면서 지붕에서 내려온 나는 아리아 씨를 재우기 위해 모두에게 향했다.

다음 날.

라이엘을 쉬게 해주는 것이 정해져서, 보수 지불에 관한 건 클라라와 노엘이 맡게 되었다.

거짓말 발견기로 데려온 샤논은 아침부터 투덜투덜 불평을 늘어놓았다.

"지쳤어. 이제 일은 싫어."

클라라는 곤란한 듯이 샤논을 타일렀다.

일이라고 해도 병사가 거짓말을 하는지 안 하는지 확인할 뿐이다. 그것도 토벌한 숫자는 보고에 올라가 있어서 대략적인 예상은 하고 있다.

어느 전장에서 얼마나 마물을 쓰러뜨렸는지는 파악하고 있었다.

"조금만 더 힘내요. 게다가, 보수 지불이 끝나면 휴식이 기다리니까요."

샤논은 의자에 앉아서 책상 위에 턱을 올리고는 다리를 붕붕 휘저었다.

"그치만, 다들 금화를 얼마나 많이 입수하느냐밖에 생각하고 있지 않잖아. 이제 듣기만 해도 지긋지긋해. 나는 마물을 열 마리 쓰러뜨렸다~ 라든가, 그런 녀석들밖에 없어."

성실하게 보고하는 사람이 오히려 드물다.

미묘하게 숫자를 올리는 사람도 있어서, 그게 또 성가셨다.

아무튼, 그리 재미있는 일은 아니다.

노엠은 덤덤히 작업을 진행했다.

"이것도 일이에요. 끝나면 모니카 씨가 준비해주신 과자도 있으니까요. 루카하고 함께 먹어도 좋아요."

동생뻘인 루카의 이름이 나오자, 샤논이 조금 태도를 바꿨다.

"그러게. 나는 일도 열심히 했다고 루카에게 자랑해야지."

클라라는 의욕을 보이게 된 샤논을 보고 안도했다.

"그렇죠. 그걸 위해서라도 조금 더 힘내요. 뭐, 마지막이 제일 성가실지도 모르지만요."

아침 일찍부터 이어진 작업도, 중간에 점심시간이 들어가긴 했지만 슬슬 막바지다.

그러나, 마지막이 문제다.

노웸의 표정이 평소와 다르게 감정을 좀처럼 읽을 수 없는 것도 상대가 원인이다.

클라라는 서류를 봤다.

'리오넬 월트— 라이엘 씨와는 먼 친척이네요. 뭐, 이미 타인이라고 봐도 좋겠지만.'

리오넬의 문제는, 라이엘과의 인간관계도 있지만 가장 큰 것은 히포그리프에 관한 것이다.

본인은 쓰러뜨렸다고 보고했지만, 실제로는 살아있어서 성가신 일이 벌어졌다.

결국 라이엘이 끝장을 냈으니, 보수는 지불하지 않는 것이 일반적이다.

그러나, 그래서는 본인이 납득하지 않는다.

결국 리오넬이 들어왔다.

어딘가 조바심을 내는 모습이다.

"리오넬 씨 맞으시죠? 앉으세요."

노웸이 의자에 앉으라고 말하자, 리오넬은 얌전히 따랐다.

'이거 문제없이 끝날까요?'

클라라는 그렇게 생각했지만, 역시 생각처럼 되지는 않았다.

노웸은 무표정하게 말했다.

"작업의 도움, 그리고 전투 참가로 보수는 금화 한 닢이네요."

"그럴 수가! 히포그리프를 쓰러뜨렸다고. 보수는 금화 50닢이어야 할 텐데!"

"……적을 앞에 두고 도망치셨더군요. 그리고 끝장을 내지 않았어요. 덕분에 주민에게 피해가 생길 뻔했고요."

"그, 그건 히포그리프가 일어났을 뿐이야. 내가 봤을 때는 이미 움직이지 않았었다고. 게다가 도시 주민은 멋대로 밖으로 나갔다면서? 그 녀석의 잘못이 분명하잖아."

"그런가요. 그렇다면 적을 앞에 두고 도망치셨으니 보수는 드리지 않겠어요. 온정이었는데, 이해하지 못하신 모양이네요."

리오넬은 시선을 이리저리 돌렸다. 자기도 죄책감은 있는 것이리라.

그래서 사과할 줄 알았는데…….

"부, 부탁이야. 금화 50닢을 줘. 나는 빌린 무구를 대부분 잃었어. 동료도 많이 죽었다고. 이대로 돌아가면 웃음거리가 될 거야."

"그건 당신 문제죠."

평소에는 다정한 노엠이 이렇게나 차가운 것도 드물다.

'노엠 씨, 리오넬 씨를 싫어하는 걸까요? 뭐, 왠지 이유는 짐작이 가지만요.'

당초부터 라이엘에게 실컷 시비를 걸었다. 불합리한 트집도 잡았으니 노엠이 보기에는 용서할 수 없는 상대이리라.

"도, 돈은 갚을 수도 있어. 자작가의 후계자가 된다면 나중에 두 배로 돌려줄게. 그러니까, 히포그리프 토벌은 내 공적으로 해줬으면 좋겠어."

노웸이 뭐라 말하려 하던 그때, 샤논이 리오넬에게 말했다.

"너…… 불쌍하네."

"뭣! 뭐야. 뭘 말하고 싶은 건데."

연하인 샤논의 동정을 받은 리오넬은 조금 혼란스러워 보였다. 샤논의 눈은 살며시 금빛으로 빛나고 있었다.

"어차피 후계자가 되더라도 갖지는 않겠지만, 공적이 있어봤자 의미는 없어. 왜냐하면, 아버님은 너를 후계자로 삼지 않을 테니까."

리오넬은 힘차게 일어났고, 그 때문에 의자가 뒤로 쓰러졌다.

"거, 거짓말이야. 자작님은 내게 기대하고 있다고 말씀하셨다고."

샤논은 정말로 동정하고 있었다.

"언니도 절대 그럴 일 없다고 했어. 그만 포기하는 게 좋아. 아버님하고 얽히지 않는 게 당신을 위한 일이야."

"핫! 그렇게 나를 속이려는 거지? 알고 있어. 너희는 그렇게 라이엘에게 사크라이 가를 잇게 하려는 거야. 나는 속지 않아."

"뭐? 라이엘은 안 이을 거야. 왜냐하면 흥미가 없으니까. 센트럴에 들른 이유도 다음 목적지를 찾으려던 거고."

리오넬의 얼굴이 단숨에 새파래졌다. 고개를 수그리더니 「아하하하. 역시 진심으로 흥미가 없었던 거냐」라고 중얼거렸다.

그런 리오넬을 보며 클라라는 경계했다.

당장에라도 날뛸 것 같은 분위기였으니까.

샤논이 말을 이었다.

"너 말이야. 언니가 했던 말인데, 뒤를 잇기에는 가문의 격이 낮대. 도리스 언니가 네 가문에 시집을 간다면 딱히 상관없지만, 그 반대는 없댔어. 그러니까 도리스 언니하고 결혼하는 것뿐이라면—."

귀족 내부에도 서열이 있다.

반세임 왕국에서 말석 아슬아슬한 귀족인 리오넬이 자작가의 데릴사위가 되는 것은 역시 무리가 있었다.

"—그러면, 왜 이런 토벌대에 참가하라고 말한 거냐고. 기대하고 있어서 그런 게 분명하잖아."

샤논이 곤란한 듯이 입을 다물자, 노웸이 말을 이어받았다.

"아직도 이해하지 못하신 모양이네요. 저희는 왕궁에 버림받은 거예요. 당신도 여기에 보내진 시점에서 똑같아요. 랄프 사크라이에게 버려진 거라고요."

리오넬의 주먹이 뿌득뿌득 소리를 냈다.

"보수는 금화 한 닢이에요."

노웸이 금화를 책상 위에 놓자, 리오넬은 뭔가 말하려다가 삼켰다. 그리고 금화를 움켜쥐고는 그대로 방을 뛰쳐나갔다.

뭘 말하려던 걸까?

샤논이 고개를 갸웃했다.

"왠지 굉장히 복잡한 표정이더라. 왜 저럴까?"

노웸은 서류에 보수를 지불했다고 적으면서 샤논에게 설명했다.

"자존심이에요. 라이엘 님에게 받은 보수를 내팽개치고 싶다. 하지만 돈이 없을 때의 괴로움을 알고 있는 거겠죠. 받지 않는다는 선택지는 그에게 없었어요. 그리고…… 뭐, 샤논의 동정이 원인이겠죠."

"어, 어째서야! 나는 그 녀석을 위해서 말한 거라고! 게다가 도리스 언니와 결혼하고 싶다면 데릴사위가 아니라도 좋으니까, 그렇게 말하려고 했을 뿐이야!"

샤논은 리오넬이 도리스를 진심으로 사랑한다고 생각하고 있었다. 돈이 없더라도 라이엘처럼 모험가가 되면 벌 수 있다는 어설픈 생각도 가지고 있었다.

'……샤논은 순수하네요. 그에게 그 정도의 각오는 없을 텐데요.'

클라라도 노웸의 설명을 듣고서야 겨우 이해한지라, 샤논을 보고 웃을 수가 없었다.

'저는 사람의 감정에 둔하네요. 그나저나 아람서스를 나오자마자 이런 커다란 사건에 말려들 줄은 생각도 못했어요.'

클라라도 작업에 복귀했다.

샤논은 역할을 마쳤기에, 납득하지 못한 표정으로 방에서 나갔다.

클라라는 노웸에게 물었다.

"……노웸 씨는 리오넬 씨를 싫어하시나요?"

"싫다, 는 것하고는 조금 다르네요. 후회일까요? 죄송해요. 저도 뭐라 말해야 좋을지 조금…… 잊어주세요."

노웸치고는 미묘한 대답이었다. 그리고 그 이상 말할 생각
이 없는지, 입을 열려 하지 않았다—.

제77화 이별

—마물의 위협에서 벗어난 도시.

다음 날부터는 정리가 시작됐다.

쓰러뜨린 마물에게서 마석을 뽑고, 시체는 도시 바깥에서 태우기로 했다.

사망한 아군의 장례도 기다린다.

아리아는 그런 작업 상황을 지켜보면서 감상을 남겼다.

"왕도가 고향인데 여기에 묻히다니 쓸쓸하겠네."

사망한 병사 대다수는 지오니에 묻히게 되었다. 시신을 왕도로 옮긴다 해도 과연 받아줄지는 모른다.

미란다는 왕도의 사정에 자세하다.

"시신을 매장하는 데도 돈이 드니까. 모처럼 옮겼는데 수용을 거부하는 집도 나올 테니까, 여기서 장례를 치르는 게 좋아."

아리아 일행에게 그걸 개별적으로 대응할 여유는 없었다. 그래서 시신은 여기에— 지오니에 묻히게 되었다.

"그게 쓸쓸하다는 거야. 가족이잖아. 모르는 토지에 무덤이 있으면 성묘도 올 수 없어."

"……아리아는 다정하네. 그래도, 그런 법이야."

시신을 받으려는 가족도 있겠지만, 확인할 여유도 없다.

유품을 전해주는 정도밖에 할 수 없었다.

아리아가 불만인 것을 본 미란다가 말했다.

"여기라면 도시를 지킨 영웅으로 잠들 수 있어."

"······그렇긴 하지만."

어제 전투에서 무척 소모된 두 사람은 작업을 도울 수가 없었다. 아무리 미란다라도 지쳤고, 아리아도 작업을 지켜보기만 하고 있다.

아리아가 주변을 바라봤다.

"다른 일행들은?"

미란다가 키득키득 웃었다.

"샤논과 노웸이라면 노마를 도와주러 갔어. 보고서를 준비해야 하니까 그걸 체크하려는 거야."

이번 공적은 노마의 것으로 넘기겠다고 약속했었다.

"소피아는 아직 자고 있고, 모니카는 아직 일하고 있고······ 클라라와 에바는 뭐 하는데?"

"두 사람이라면 라이엘과 함께 있어."

"그렇구나."

두 사람은 그대로 작업을 지켜봤다.

여관.

"어째서 중앙에서 지시를 내려야 하는 당신이 북문에서 나오는 거죠!"

노웸이 조금 커다란 질책의 목소리를 날리자, 노마는 울상을 지었다.

"하, 하지만. 내 활약이 적은 것 같아서……."

"지휘관으로서의 활약으로 평가받을 수 있어요. 그런데 이런 앞뒤가 맞지 않는 보고서를 내면 허위라고 의심받잖아요!"

노웸은 책상을 보고 있는 노마를 마치 학교 선생님이나 가정교사처럼 지휘하고 있었다. 옆에는 샤논도 있다.

"너 바보네. 처음에는 히포그리프는 전부 자기가 쓰러뜨렸다고 보고하려고 하질 않나."

"바, 바보가 아니다! 잘 들어라. 이 보고서에는 내 출세가 걸려있단 말이다!"

자신이 얼마나 활약했는지를 알리기 위해, 노마는 다른 이들의 공적을 빼앗는 보고서를 준비했다.

중앙에서 정확한 지시를 내리면서 사방에 있는 문에서도 대활약! 히포그리프는 전부 자신이 쓰러뜨리고, 그 밖의 마물도 100마리는 쓰러뜨렸다고 적었다.

……누가 읽더라도 거짓이라고밖에 보이지 않는다.

"지휘관으로서 도시를 지키고, 히포그리프 한 마리를 토벌했다면 공적으로는 충분해요. 그 이외의 공적은 부하에게 양보하세요."

노웸도 처음에는 「그건 좀……」이라든가 「조금은 이렇게 하는 편이 나아요」 등등 다정하게 수정을 요청했다. 그러나 그리폰 퇴치를 이뤄내서 기분이 좋아진 노마는 노웸의 의견을 무시해버렸다.

그래서 노웸은 질려버렸고, 결과적으로…… 노마는 울상을 짓고 말았다.

"……그치만, 좀 더 활약했다고 적으면 천기장이 될 수 있을지도 모르는데."

노마는 한 단계 위인 백기장을 넘어서 천기장으로 출세할 수 있을지도 모른다고 망상하고 있었다.

노웸이 노려봤다.

"전선에서 활약하고 싶다면 십기장, 백기장이 어울려요. 천기장이라면 부하를 잘 규합하고, 공적을 세우게 해주는 것이 일이라고 생각하세요."

"그런 짓이나 하고 있으면 모리스처럼 계속 출세할 수 없게 돼."

"……따르지 않는다면, 진실을 유포하겠어요. 의심을 받아서 모처럼 세운 공적을 잃어도 좋다는 건가요?"

노웸이 협박하자 노마는 반박하려 했지만, 샤논이 히죽히죽 웃는 걸 보고 입을 다물었다.

샤논은 자작가의 딸이다. 게다가 사크라이 가의 딸. 권력을 가진 가문의 관계자…… 노마가 섣불리 손댈 상대가 아니었다.

"너, 따르지 않을 거면 언니한테 이를 거야."

"기, 기다려주세요. 지시대로 할 테니까. 부탁이니까 화내지 말아 주세요!"

노마는 마지못해 보고서를 고쳤다.

"빌어먹을…… 왜 명문 귀족의 딸이 이런 곳에 있는 거야."

노웸도 겨우 노마가 보고서를 다시 쓰는 것을 보고 안도했지만, 바로 무표정하게 보고서를 들었다.

그곳에는, 중앙에서 지휘를 하면서 조금은 전선에서도 활약했다고 적혀있었다. 조금 전보다는 낫지만, 무슨 소리를 하는 건지 전혀 이해할 수 없었다.

노웸이 보고서를 쫙쫙 찢었다.

"다시 쓰세요."

"그럴 수가아아!"

울음을 터트린 노마를 본 샤논은…….

"이 녀석 정말로 바보네."

그렇게 말하며 어이없어했다.

도시에 만든 활 훈련장.

급거 준비한 이 훈련장은 전투가 끝난 뒤에는 정리하기로 정해져 있었다.

철거하기 전에, 루카의 활 연습을 봐줬다.

옆에 있는 건 클라라 씨와 에바 씨다.

에바 씨가 루카의 활 다루는 모습을 보면서 여러모로 어드바이스를 줬다.

"기본은 되어있는 것 같으니까, 이 정도면 괜찮겠네."

나보다 활을 잘 다루는 에바 씨라면 틀린 점도 가르쳐줄 수 있겠지. 안심하고 볼 수 있다.

"누나, 고마워요."

루카가 감사를 표하자, 에바 씨는 기뻐 보였다.

"착한 아이네. 자, 해봐."

루카가 활을 당겨서 연습용 화살을 날렸다.

나는 클라라 씨와 대화를 나누고 있었다.

내 질문을 들은 클라라 씨는 미묘한 표정을 지었다.

"달이 아름답다, 라고요."

"네. 그렇게 말했더니 죽어도 좋다는 말이 돌아와서."

"······라이엘 씨. 책은 자주 읽으시죠?"

"뭐, 아마도요."

클라라 씨는 뭐라 말 못 할 표정을 짓고는, 안경을 벗고 부끄러운 듯이 가르쳐줬다.

"「사랑합니다」라는 뜻이에요. 단둘이서, 게다가 이야기를 들어보니 그런 분위기였겠죠. 아리아 씨의 죽어도 좋다는 것은 대답인데, 「나도 사랑합니다」라는 뜻이에요."

"······네? 하지만, 달을 보니까 아름다워서 그렇게 말한 거라고요!"

"라이엘 씨는 그랬겠죠. 그래도 아리아 씨는 의외로 꽃다운 소녀 같은 면이 있으니까요. 그런 은유를 알고 있더라도 이상하지 않아요. 그런데 정말로 죽으면 안 된다는 대답이 날아오면······. 따귀 정도로 용서받아서 다행이라는 말밖에 할 수 없네요."

내가 아연실색하자, 클라라 씨는 「어째서 그렇게 놀라는 건지 모르겠네요」라는 표정을 짓고 있었다.

"이상하잖아요! 어째서 그런 뜻이 되는 건가요!"

"저한테 그렇게 말씀하셔도 곤란해요. 훨씬 옛날부터 있던 은유에요. 뭐, 유래는 여러 설이 있어서, 어느 게 올바른지는 확실하지 않아요. 무척 오래된 유명한 이야기에요."

……대체 누가 생각한 거야? 그보다도, 나는 앞으로 아리아 씨를 어떤 표정으로 봐야 하는 거지?

납득하지 못하고 있는데, 이야기를 듣던 에바 씨가 대화에 끼었다.

"어머, 근사한 이야기잖아. 그나저나, 라이엘은 지식이 편중되어 있네. 어제는 그렇게나 활약했는데, 지금 이야기를 들으면 다른 사람 같아. 뭐, 갭이 있는 건 좋은 일이야. 영웅의 알려지지 않은 일면 같은 건 정말 좋아하니까!"

에바 씨의 머릿속에서 나는 젊은데도 이만한 규모의 전투에서 승리를 거둘 수 있는 박식한 인물로 되어있는 걸까? 전부라고는 할 수 없지만, 대부분 내가 생각한 게 아니라는 건 말할 수 없었다.

"그나저나 클라라는 촌스럽네. 그럴 때 설이라든가 유래 같은 건 필요 없어. 그저 사랑한다는 게 전해지면 되는 거야."

클라라 씨가 조금 짜증난다는 표정을 지었다.

"……알고 싶다고 생각하는 건 나쁜 일이 아니에요."

"나쁘지는 않아. 촌스러울 뿐이야. 모두 그렇게 생각한다면 상관없잖아. 중요한 건 사랑한다는 의미 쪽이야."

아무래도 두 사람의 생각에는 차이가 있는 모양이다. 책을 좋아하는 클라라 씨와 이야기를 무척 좋아하는 에바 씨. 친해질 수 있을 줄 알았는데.

뭔가 말다툼이 시작됐다.

"정보는 정확하게 전달해야 해요. 촌스럽고 자시고 그런 이야기는 아니에요."

"듣는 사람에게는 상관없는 일이고, 전해지기만 하면 되는 거야. 게다가, 그런 이야기는 지루하지 않아?"

"역시 엘프는 안 되겠네요. 이야기도 노래도 과장하고, 개변하니까 싫어요."

"이쪽은 전해지기 쉽게, 분위기를 끌어올릴 수 있게 바꿀 뿐이야! 신경 쓰이면 직접 마음대로 조사하면 돼. 정확함보다도 흥겨워지는 게 중요한 거야!"

……아무래도 상성이 좋지 않은 모양이다.

제지하려고 했는데, 연습 중이던 루카가 과녁에 화살을 맞혔다.

기분 좋은 소리가 나서 우리 세 사람의 시선이 그쪽으로 향했다. 덤으로 말다툼도 끝나서 안심했다.

"해냈다! 맞혔어요! 라이엘 님, 맞혔다고요!"

"잘했어. 능숙하네."

"에헤헤."

기뻐하는 루카의 얼굴을 쓰다듬어줬다.

에바 씨도 기뻐 보인다.

"센스가 좋네. 이러면 좀 더 이것저것 가르쳐줄 수 있겠어."

"네!"

에바 씨는 순수한 루카에게 다정했다.

그런 우리에게, 과자를 든 샤논이 다가왔다.

"캑! 루카 말고도 세 명이나 있잖아."

바구니에 들어있는 건 과자와 음료수. 아무리 봐도 인원수 만큼 있었다.

"아, 샤논 님이다!"

루카가 기뻐하자, 샤논은 마지못해 이리로 다가왔다.

"루카와 둘이 있었다면, 이걸 둘이서 먹을 수 있을 줄 알았 는데."

이 녀석, 둘이서 5인분의 과자를 먹어치울 작정이었던 모양 이다.

밤.

나는 에바 씨에게 의뢰를 하기 위해 호출했다.

장소는 포터의 차내. 노윔도 동석했다.

"······여기서 무슨 일이 일어났는지를 동족에게 가르쳐주라 고? 그거, 나만 아는 새로운 소재를 다른 엘프들에게 가르쳐 주라는 거지?"

새로운 소재는 엘프에게는 밥벌이 수단이나 다름없다.

노래나 이야기를 이야기할 때, 새로운 것은 그것만으로도 들으려는 사람이 많다. 하물며 이번 일은 분명 왕도에서도 많 은 화제를 부를 것이다. ······화제를 부르지 않으면 곤란하다.

내가 부탁하긴 했지만, 반응은 좋지 않았다.

"어떻게든 안 될까요? 퍼뜨리는 건 겉으로 봤을 때의 활약 이고, 진실을 아는 건 에바 씨뿐인데요."

"기분만 따지면 싫어. 진실에 입을 다물어야 하니까 내게는 디메리트밖에 없잖아."

실제로 자신이 체험한 신선한 화제.

그걸 다른 예술인 극단 엘프들에게 가르쳐주는 건, 에바 씨에게는 재미없는 이야기겠지.

퍼뜨리는 건 가짜 이야기다. 노마 씨가 지휘관으로 활약한 이야기가 되지만, 그래도 오랜만에 등장한 그리폰 퇴치다.

왕도에 돌아가면 분명 화제가 될 것이다.

에바 씨의 인기도 나올지도 모르는데, 그걸 동업자에게 가르쳐주는 건 확실히 너무하기는 하다.

"좋아요. 금화 50닢을 드리죠. 아니, 100닢이라면 어떤가요?"

내가 돈 이야기를 하자 조금 반응을 보였지만…….

"싸, 싸구려처럼 보지 마. 이 소재로 인기를 얻어서 유행을 타면, 그 정도는 바로 벌 수 있어. 난 내 힘으로 인기를 잡을 거야."

……설득에 실패하고 말았다.

내가 어깨를 떨구자, 노웸이 대신 교섭을 시작했다.

"에바 씨."

"노웸이 부탁해도 안 돼. 내가 열심히 했던 이유는, 이 화제를 노래로 부르기 위해서였으니까. 미안하지만 절대로 안 돼."

강하게 부정하는 에바 씨를 본 노웸은 고개를 몇 번 끄덕였다.

"그렇겠죠. 엘프에게 다른 누구도 모르는 화제를 독점하는 건 우월감이 있으니까요."

"그렇다니까. 그러니까, 미안해."

"단지— 왕도에서 한 번이라도 공연하면, 동족이나 다른 예술인들에게도 알려질 텐데요."

에바 씨가 「윽!」 하고 아픈 점을 찔린 표정을 지었다.

"그, 그래도 한두 번 들은 걸로는 실제로 체험한 내게 이길 리가 없어. 가지고 있는 정보량이 다르다고, 정보량이!"

"그렇겠죠. 에바 씨라면 인기도 바로 얻을 수 있을 테고요."

"고, 고마워."

"—그리고 유감이네요."

"어?"

"에바 씨도 이 토벌대가 왕궁에 버려졌다는 건 아시죠?"

원래 전멸을 상정하던 토벌대다.

그런 토벌대가 대활약해서 왕도로 돌아오면 재미없는 것은 왕궁이다.

"저희가 돌아가서 에바 씨가 저희의 활약을 노래로 부른다고 치죠. 재미없게 여긴 왕궁이 입을 막으려 들거나, 혹은 거짓을 유포했다며 에바 씨를 폄하할 수도 있어요."

……거기까지 할까? 아니, 하겠지.

우리를 사지로 보낸 랄프라면 저질러도 이상하지 않다.

"그, 그래도, 실제로 활약했잖아. 왕궁도 인정할 거야."

"뭔가 부정한 일을 저질렀다고 주장할지도 모르죠. 확실하지는 않고, 저희의 활약을 널리 퍼뜨리는 에바 씨는 위험할지도 몰라요."

노웸의 이야기를 정리하면, 우리가 그리폰을 토벌해서 돌아 가더라도 왕궁은 트집을 잡아서 폄하할 가능성이 있다는 것 이다.

예를 들어, 도중에 들른 마을에서 심한 일을 했다거나. 그 런 소문을 퍼뜨려서 출세나 보수를 깎는다. 경우에 따라서는 죄인으로 만들 가능성도 있다.

"그러니 사전에 진실을— 겉보기용 사실을 퍼뜨려서, 왕도 에 도착할 때는 이미 어떻게 하지 못하도록 만들면 돼요."

애초에 우리가 소문을 유포하려는 이유는 이쪽이 진짜다.

돌아가면서 들르는 마을이나 도시에 우리가 소문을 퍼뜨려 도 되지만, 엘프인 에바 씨가 동족에게 퍼뜨리게 되면 스피드 가 달라진다.

이야기가 퍼지는 스피드 자체가 몇 단계는 다른 것이다.

그래서 부탁한 건데…….

"노웸, 거기까지 말해도 되겠어?"

처음에는 가능하면 협력해줬으면 좋겠다 정도였는데.

"여기까지 말려들고 말았으니까요. 저는 에바 씨가 살았으 면 해서요."

에바 씨는 우리 앞에서 머리를 부여잡고 엄청 고민하고 있 었다.

"모, 목숨의 위기. 하지만 이건 내가 알고 있는 신선한 소재. 그걸 동족에게 가르쳐주라니…… 그래도 목숨이 위험한데."

갈등하고 있다.

내가 보기에는 어떤 소재보다도 자기 목숨이 최우선이지만, 에바 씨— 엘프에게는 고민할 만한 문제인 모양이다.

"……알았어. 동족에게 가르쳐줘서 퍼트릴게. 하지만, 나름 대로 시간이 걸려."

에바 씨가 포기하고 목숨을 우선하자, 노웸이 고개를 끄덕였다.

"네. 그리고 기간은 괜찮아요. 한동안 도시와 주변의 부흥에 힘을 빌려줄 생각이니까요."

어느 정도까지는 부흥을 돕지 않으면 도시가 또 위험에 처한다.

마물만이 아니라, 세상에는 사악한 도적도 있으니까.

적어도 스스로 몸을 지킬 수 있게는 되어야지.

뒷맛이 찝찝한 결과가 되기를 바라지는 않기도 하고, 2대의 부탁이기도 하다.

싸움이 끝난 지 며칠 뒤.

토벌대는 매장이나 뒷정리에 더해서 부흥을 도왔다.

모리스는 도시 밖으로 나가 밭의 상황을 보고 있었다. 황폐해진 밭이나 민가 수리도 돕고 있다.

"이 정도로 파괴되었다면, 다시 짓는 게 빠르겠는데."

소유주인 노부부는 모리스의 말을 듣고는 고개를 가로저었다. 노부부 뒤에는 어린 자식이 두 명 있었다.

"그러고 싶지만, 여유가 없어서요. 살 수 있기만 하면 그걸로도 충분합니다."

아이들의 부모는 사망했고, 일손이 없다고 한다.

모리스는 뭐라 말을 걸어야 할지 알 수 없었다.

"가능한 일은 하도록 하죠."

그러면서 부하들에게 지시를 내렸다.

그러자 기사 가문이 아닌 일반인 토벌대 참가자 한 명이 손을 들었다.

"저기, 제 친가는 목수라서, 도구만 있으면 어떻게 될 것 같은데요."

모리스가 놀랐다.

"정말인가?"

"네. 작업할 때 사용하는 도구를 빌려주시면, 어떻게든 지낼 수는 있을 겁니다."

목수의 아들이 그렇게 말하자, 주변이 안도했다.

그리고 또 한명— 중년 남자가 손을 들었다.

"……밭은 제가 어떻게든."

"할 수 있나?"

"저는 시골에서 뛰쳐나와서 왕도로 왔으니까요. 줄곧 슬럼에 살고 있었지만……."

메마르고 너덜너덜한 중년 남성, 이 토벌대에 참가해서 인생이 변했다고 생각한 모양이다.

'편성 때 마음대로 멤버를 정하던데, 혹시 전부 알고 내 부하로 넘겨준 건가? 그렇다면, 젊은 나이인데도 배려심이 대단

하군.'

부흥 작업을 도울 때도 라이엘이 지시를 내리고 있었다.

모리스는 부하 중에 일이 가능한, 혹은 지식을 가진 자가 있어서 다행이라고 생각하다가, 실은 처음부터 개개인의 능력을 알고 배치했다는 사실을 깨달았다.

'나보다 훨씬 어엿하게 지휘하고 있어. 영웅이란 라이엘 같은 인물일지도 모르겠군.'

아직 젊고, 경험이 얕다고 생각해왔건만. 모리스는 자신이 부끄러워졌다.

부흥 작업 진행 도중.

나는 보고서를 한 손에 들고 있었다.

고지대에서 루카에게 나대 다루는 법을 가르쳐주고 있다.

루카의 상황을 보면서, 클라라 씨에게 보고도 듣고 있었다.

"도시에 남겠다고 하는 사람이 열 명이에요. 팻 씨는 남자 일손이 부족하니까 고맙다고 기뻐하더라고요."

남자 일손이 적어서 곤란했으니, 기뻐하며 이주하게 해주겠지.

그나저나, 왕도에 돌아가지 않고 여기 살겠다고 정한 사람들이 나올 줄은 몰랐다.

"반대로 왕도로 가고 싶다는 사람들은 20명 정도고요."

나는 놀라서 뺨을 뻗했다. 열 명이 줄고 20명이 늘다니 대체 어떻게 된 거야?

"어째서?"

"집이나 밭을 잃어버려서요. 그리고 왕도에 가보고 싶다는 젊은이도 많은 모양이고요."

"고향에 살면 되잖아. 주변 마을이나 도시에서 식량이나 물자를 사왔다고. 독립하는 도움 정도는 줄 텐데."

클라라 씨가 미묘한 표정을 지었다.

"그렇게까지 해주는 라이엘 씨는, 상식적으로 생각하면 이상해요. 애초에 그리폰을 토벌하면 바로 돌아가는 게 일반적이니까요."

부흥에 더해서, 그 이후까지 봐주려고 하는 내가 이상한 모양이다.

확실히 여기는 내 영지가 아니다.

거금이나 노력을 들이는 건, 남들이 보기에는 바보 같겠지.

나는 루카에게 시선을 돌렸다. 마체테를 휘두르며 땀을 흘리고 있다.

애초에 내가 이 정도까지 하는 이유는 2대의 부탁 때문이다.

그리고 또 하나 이유를 거론하자면, 그건 루카다.

확실히 귀여운 동생 같은 존재지만, 그 이상으로 그는 월트가의 핏줄을 이어받았을 가능성이 높다.

"6대가 민폐를 끼쳐서 말이지. 다소 무리를 해두지 않으면 시끄러운 사람들이 있는지라."

소곤소곤 말하자, 클라라 씨가 고개를 갸웃했다.

"왜 그러시나요?"

"실은 이 토지에서 친척이 민폐를 끼쳤거든. 꽤 옛날 일이지만, 그 속죄려나."

"친척이 민폐를? 그랬었나요."

납득한 건지 아닌 건지. 클라라 씨는 표정 변화가 적어서 잘 모르겠다.

루카가 내 얼굴을 밑에서 올려다봤다.

"라이엘 님. 이 도시에 오신 적이 있나요?"

"없어. 단지, 친척이 왔었거든. 정말로 이것저것 저질렀던 것 같아."

"그럼 박식한 할머니가 계세요. 여쭤볼까요?"

조금 신경이 쓰인 나는 그 할머니에게 이야기를 듣기로 했다.

6대의 말만으로는 도저히 진실을 알 수가 없다. 여기서는 박식한 할머니에게 물어보는 게 재미있을 것 같다.

피난소에 있던 할머니는 끓인 물을 마시고 있었다.

나와 루카가 만나러 와서 옛날 일을 묻고 싶다고 하자, 그 정도라면 괜찮다며 흔쾌히 받아주었다.

그러나……

"……루카의 선조님에 대해서, 인가요."

다정해 보이던 할머니의 얼굴이, 묻고 싶은 내용을 말하자 갑자기 꺼림칙한 표정으로 변했다.

루카는 고개를 갸웃하고 있다. 나는 묻는 게 조금 무서워졌다.

"네, 네. 맞아요. 아마 외지에서 온 사람일 텐데요."

할머니는 들고 있던 컵으로 시선을 내렸다.

"……저도 직접 보고 들은 건 아닙니다. 나중에 들은 이야기죠. 제가 아직 어리고, 여기도 도시가 아니라 작은 마을이었을 시절의 이야기입니다."

보옥 안에서도 불길한 분위기가 감돌고 있었다.

『……어라, 분위기 안 좋지 않아?』

『6대의 이야기라고 정해진 건 아닙니다만…….』

『왠지 듣고 싶기도 하고, 듣고 싶지 않기도 하고…….』

『……아직 제 이야기라고 정해진 것도 아니잖습니까.』

『볼썽사납군요.』

……목소리가 하나 부족하다. 목소리가 또 하나 사라지고 말았다.

"당시부터 이 아이의 집안은 사냥꾼 집안이었죠. 그때, 마을에 신분이 높아 보이는 젊은이가 들렀다고 합니다. 그를 돌봐준 것이, 사냥꾼 집안의 외동딸이었습니다."

6대가 인정했다.

『아, 나다.』

……역시 너냐.

"대단한 거한으로, 강했다고 하더군요. 마을을 괴롭히던 마물을 혼자 퇴치한 강자여서, 마을 사람들도 강하게 말하지 못하고 마을에 살게 해줬다고 합니다."

7대가 화가 난다는 듯이 거칠게 말했다.

『어라, 무척 민폐였던 모양이군요.』

"단지, 그 소녀는 반했던 거겠죠. 바로 아이를 낳았습니다.

남자였기에 소녀의 부모도 크게 기뻐했다고 하죠. 젊은 당신은 사정을 잘 모를지도 모르지만, 때때로 바깥의 피를 들이는 것은 마을로서도 고마운 이야기여서요. 마을에서도 아무 말도 하지 못했지요."

확실히 나는 잘 모르는 이야기였다. 3대는 잘 알까? 이런 이야기는 2대가 더 잘 알 것 같은데.

"하지만, 젊은 남자는 그 후에 바로 마을을 나갔습니다. 돈을 얼마간 두고 갔다고 하지만, 소녀는 무척 슬퍼했다고 하죠."

3대나 4대가 6대에게 차가운 말을 던졌다.

『……최악이네.』

『이 쓰레기.』

6대가 변명했다.

『너희도 다른 곳에 애가 있어도 이상하지 않거든! 라이엘, 잘 들어라. 우리 같은 영주가 때때로 마을에 들르면, 마을에서 소녀를 시중으로 보내는 일도 있다. 나에게만 잘못이 있는 건 아니야!』

변명으로밖에 들리지 않았다.

5대가 코웃음 쳤다.

『그 시절이라면 가출했던 시기인가? 그럼 너는 집을 뛰쳐나간 바보 아들이고, 마을이 소녀를 보내서 시중을 들게 해준 것도 아니잖아. 네 잘못이야.』

7대도 편승했다.

『그래. 네 잘못이다.』

할머니의 말은 이어졌다.

"그 후, 남자아이는 훌륭하게 성장했죠. 단지, 어머니가 된 소녀는 마지막까지 결혼을 하지 않았습니다. 언젠가 그 사람이 돌아올지도 모른다면서요."

그 순간, 6대의 평가가 내 마음속에서 크게 폭락했다.

그건 다른 역대 당주들도 마찬가지였겠지.

단지, 6대만큼은…….

『……나를 계속 기다리고 있었던 거냐. 앤지!』

뭔가 감동한 모양이지만, 아내가 무서워서 만나러 가지도 못했던 남자가 할 말로는 보이지 않았다. 이 녀석은 최악이다. 앤지 씨에게 사과해.

"저도 이야기를 들었을 뿐이지만, 그 소녀가 참 딱했지요. 버린 남자에게는 불평 한마디는 해주고 싶었어요."

나는 미안한 마음으로 가득했다. 우리 선조가 죄송하다고.

"단지…….

"다, 단지?"

또 뭔가 있나 싶어서 조마조마하고 있는데, 할머니가 의아한 말을 했다.

"그 후에 마을이 무척 윤택해져서요. 아무래도 태어난 남자아이가 살아있을 적에는 어딘가에서 원조가 왔다고 하더군요. 당시의 사정을 아는 어른들은 입을 다물고 무슨 일이 있었는지 절대 말해주지 않았지요. 덕분에 저도 무슨 일이 있었는지는 모릅니다. 다른 이들은 분명 좋은 집에 사는 귀족님이 마을에 원조를 해준 거라고 속닥거렸죠."

누군가가 원조해줬다? 6대의 이야기에 따르면, 아무것도 하지 않았을 텐데.

5대도 『나는 몰라』라고 말했고, 7대도 『나도 모르는 이야기입니다』라고 말했다. 6대가 숨어서 도와주고 있었던 것도 아니다. 본인은 『어? 그랬어?』라는 반응을 보일 뿐이다.

루카는 무슨 이야기인지 몰라서 지루해하고 있었다.

"저기, 그 남자아이의 자손이 루카인가요?"

내 질문을 들은 할머니는 천천히 고개를 끄덕였다.

"네. 저 아이는 무사히 자라서 저처럼 나이를 먹어 줬으면 좋겠네요."

이걸로 혈연은 확정된 셈이다.

역대 당주들은 안도했다.

『다행이야. 라이엘이 노력해줘서 정말로 다행이야.』

『양심이 아프군요. 누구 때문에.』

『아들이 멍청한 놈이라 정말 미안하다.』

『갑자기 아버지인 척하기는! 5대가— 아니, 네가 더 쓰레기잖아!』

『닥쳐 이 멍청한 자식아! 어머님들에게 겁먹어서 아무것도 못했던 주제에 이런 태도라니 한심하기는. 그나저나, 그 원조한 가문은 누구였을까요?』

나는 할머니에게 물었다.

"원조한 가문에 대해서는, 정말로 아무것도 전해지지 않았나요?"

할머니가 고개를 가로저었다.

"듣지는 못했죠. 단지, 어른들은 무척 경계하고 있었습니다. 이름을 내지 않는 것이 원조의 조건이 아니었을까 하는 이야기를 저희끼리 한 적도 있죠. 덕분에 마을은 커졌지만, 이제 다시 처음부터 시작해야겠군요. 그것보다, 루카가 무척 졸려 보이네요."

바라보니, 루카가 선 채로 꾸벅꾸벅 졸고 있었다.

이 이상은 들을 수 없을 것 같으니까, 이만 끝내자. 그보다……이 이야기는 이제 끝내고 싶었다.

단지, 이야기를 들은 이상 나는 부흥에 전력을 다하려고 한다.

에바 씨가 돌아온 것은 2주일 뒤였다.

그 무렵이 되자, 우리도 철수할 준비에 들어갔다.

아쉽기는 하지만, 언제까지고 눌러앉을 수는 없다.

가져온 식량이 떨어져 가는 것도 있지만, 너무 늦어지면 왕궁이 먼저 움직이게 된다. 그 전에 돌아가야만 한다.

에바 씨는 주변 마을이나 도시에도 소문을 퍼뜨려줬는지, 퍼지는 속도를 봐서는 조만간 왕도에도 닿을 거라고 말했다.

"우리가 왕도에 도착할 무렵에는 이미 아는 사람이 많을지도 몰라."

그러면 왕궁도 불을 끌 수는 없다.

알고 있는 게 소수라면 입을 다물게 할 수도 있겠지. 최악의 경우 작은 도시 하나와 주변 정도는 지워버릴 수도 있다.

그러나 소문이 너무 퍼져서 없애야 하는 대상이 많아진다면 주저할 것이다.

왕도에 소문이 퍼지고, 우리가 돌아올 무렵에는 분명 구경꾼도 많이 나올 거다.

에바 씨에게 보고를 들은 나는 답례의 뜻으로 금화가 든 주머니를 내밀었다.

"감사합니다. 그리고, 이건 보수예요."

그걸 받은 에바 씨가 내 얼굴을 진지하게 바라봤다.

"저기, 왜 그러시죠?"

"음…… 나도 이것저것 생각해봤거든. 전에도 말했지만, 라이엘과 함께 있으면 좀 더 재미난 일이 일어나지 않을까 해서."

"평소에는 평범한데요."

"어디가."

평소에도 평범하지 않다는 말을 듣고 말았다. 반박하려 했지만, 에바 씨가 먼저 내게 말했다.

"저기, 한동안 같이 여행하지 않을래? 나도 어차피 왕도를 나갈 거고, 라이엘 일행과 함께라면 지내기도 편하니까. 지루하지도 않을 거야."

"저희랑요? 딱히 상관은 없지만…… 노웸이 뭐라고 말할지."

노웸은 동료를 엄격하게 고른다고 해야 할까, 애초부터 기준이 다르다. 파트너로는 완벽한데, 그것만 문제다.

"괜찮아. 노웸한테는 이미 말했으니까. 라이엘이 허가를 해주면 동행해도 된댔어."

"노웸에게 이미 상담했었나요. 알겠습니다. 허가할게요."

다른 멤버에게도 알려줘야 한다. 미란다 씨는 뭐라고 말할까? 그보다 클라라 씨는 싫어하지 않을까?

사람이 늘어나면 정말로 여러모로 귀찮은 일이 늘어난다.

단지, 그런 성가신 면도 쓸쓸한 것보다는 낫다.

"고마워. 괜찮아, 나는 도움이 될 테니까. 게다가, 언제든 원할 때 노래도 불러줄게. 유료지만."

"그거 장사인가요?"

"당연하지. 싸구려처럼 팔지는 않아. 뭐, 기분이 나면 무료로 노래해줄게."

이렇게 해서, 떠들썩한 에바 씨가 일시적으로 동료로 들어오게 되었다.

토벌대가 도시를 나갈 날이 왔다.

남는 사람, 반대로 떠나는 사람 등등 사람의 교체도 있지만…… 헤어짐은 뭐랄까, 미묘했다.

"사랑한다. 제2의 고향이여!"

"훗, 안녕이다."

"이놈들아, 또 만나러 올게!"

보기만 해도 닭살이 돋는 하이텐션을 뿜어내는 사람들이 많았다.

바로 왕도로 돌아가지 않았던 이유 중 하나이기도 한데, 그리폰과의 전투를 거쳐 성장한 사람들이 대량으로 나왔다. 지금까지 제대로 된 성장을 경험하지 못했던 사람도 많아서, 이번 전투는 그들에게는 커다란 경험이 되었다.

그래서 잠시 지나자 차례차례 몸이 나빠져서 움직이지 못하는 사람들이 나왔다.

커다란 경험을 얻어서, 그만큼 몸이 좋지 않은 시기도 길어진 것이 문제다.

괜찮았던 사람들도, 며칠이 지나자 픽픽 쓰러져서 성장 직전 단계로 들어갔다.

결과적으로 진정될 때까지 체류하는 게 좋다는 흐름이 되었다.

성장 후의 하이텐션을 거쳐 냉정해진 동료들의 눈은 무척 심각했다. 썩은 동태 같다.

"……나도 저거랑 똑같았나."

"말하지 마! 빨리 잊어버리라고."

"고향이 아니라서 다행이야."

……나도 언제 성장 직전 단계로 들어갈지 몰라 조마조마했지만, 아무래도 이번에는 성장 직전의 상태 불량이 일어나지 않는 것 같다.

두 번의 성장 때 나는 마음에 깊은 상처를 입었다.

두 번 다시 그런 일이 일어나서는 안 된다. 일어나서는 안 되는 거다.

토벌대가 도시를 나가려 하자, 도시 주민들이나 도시에 남기로 한 동료들이 배웅하러 나왔다. 성장 후의 하이텐션 집단을 복잡한 표정으로 바라보는 사람도 많다.

내 근처에는 울고 있는 소년의 모습이 있었다.

등에는 내가 사용하던 활을 메고 있고, 허리에는 마체테를 차고 있다.

"라이엘 님. 가는 거예요?"

나는 모험가다. 언제까지고 이곳에 남아있을 수는 없다.

아쉽지만 출발하자.

"나는 모험가니까. 루카…… 누군가를 지킬 수 있을 만큼 강해져야 해."

루카의 누나라도 된 것처럼 행세하던 샤논이 나를 보며 기분 나빠했다.

"라이엘이 어울리지 않는 소리를 하네. 루카, 이 녀석처럼 되면 안 돼. 알겠어?"

……좋아. 나중에 이 녀석한테는 딱밤 확정이다.

"사냥꾼이 되든, 모험가가 되든, 아무튼 강해져. 그리고—."

나는 클라라 씨를 바라봤다.

그 손에는 그림책과 간단한 책을 안고 있었다.

"이걸 드릴게요. 읽고 쓰는 공부를 할 때 쓰세요."

루카의 어머니가 곤란해했다.

"저기, 이런 비싼 물건을 받을 수는—."

클라라 씨가 고개를 가로저었다.

"저희는 쓰지 않으니까요. 샤논 씨가 주신 거예요."

거짓말이다. 클라라 씨가 자기 아츠로 만든 책이다.

루카가 그림책을 받아서, 그 제목을 보고 기뻐했다.

"이거, 샤논 님하고 같이 읽었어요. 노웸 님이나 모니카 님도 읽어주셨고요."

샤논이 머리를 쓸어 올렸다.

"루카. 나를 샤논『누나』라고 부르는 걸 허락해줄게."

샤논은 잘난 척을 하고 있었다. 너도 그림책 읽는 걸 듣고 있었을 텐데, 왜 루카보다 잘난 듯이 나서는 거야?

"네. 샤논 누나!"

나는 누나라 불리게 되어서 기뻐하는 샤논을 보고 난 뒤에 말했다.

"그래도 읽고 쓰는 공부를 해둬. 분명 도움이 될 테니까."

"……네."

루카가 고개를 수그렸다.

출발할 시간이 되었다. 모리스 씨가 말에 타서 우리에게 말을 걸었다.

"라이엘. 슬슬 출발하자."

그대로 전원에게 말을 거는 모리스 씨를 바라본 나는 루카를 돌아봤다.

"언젠가 다시 만나자."

"네!"

클라라 씨가 운전석으로 들어가자, 엔진이 걸려서 커다란 소리가 났다.

우리도 탔지만, 포터 안에는 동료들이 이미 타고 있어서, 뭐랄까…….

　샤논과 둘이서 천장으로 이동해 밖으로 나와 도시 사람들이 손을 흔드는 모습을 보기로 했다.

　샤논은 양손을 크게 흔들었다.

　포터가 움직이고, 도시에서 점점 멀어지자 샤논이 눈물을 흘렸다.

　"……슬픈 거냐?"

　"시끄럽네. 매정한 너는 내 마음을 몰라!"

　"그래그래. 그러게요. 저는 매정합니다."

　처음 생긴 동생과 이별하는 건 샤논에게는 괴로운 일이겠지. 나도 조금 마음을 이해한다.

　"언젠가 또 만날 수 있어."

　"어설픈 위로 같은 건 필요 없어. 애초에 네가 국외로 나가면 나도 국외로 가게 되잖아. 루카를 만날 수 있을 리가 없다고."

　장래에는 모험가의 도시로 불리는 외국— 베임으로 간다. 확실히, 만날 가능성은 무척 낮겠지.

　"살아있으면 가능성은 있어."

　그래. 살아있으면 가능성은 있다.

　루카는 우리가 보이지 않게 될 때까지 양손을 흔들고 있었다.

에필로그

―포터의 차내에서는 아리아가 새파란 표정을 하고 있었다.

모포를 덮고 긴 의자에 누워있다.

출발 전까지는 평범했는데, 갑자기 몸 상태가 나빠졌다.

반대쪽에서는 미란다도 마찬가지로 안색이 나쁘고 괴로워 보였다.

"……힘들어. 덤으로 나른하고 메스꺼워."

미란다도 똑같은 시기에 몸이 안 좋아졌다.

천장에서는 라이엘과 샤논의 말소리가 들려온다.

지금은 다른 곳에 신경 쓸 여유도 없는지라, 모포를 덮고 잠들려고 했지만……

"하아. 배가 고프네요. 그리고 따분해요. 에바 씨, 뭔가 노래 좀 불러주세요."

"잠깐만. 더러운 손으로 머리 만지지 마! 야! 내 옷에다 손 닦지 말라고!"

소피아가 조금 전부터 시끄러웠다.

에바의 머리를 잡아당기며 노래를 재촉했다. 배가 고프다고는 하지만, 아까부터 과자를 계속 먹고 있다. 더러운 손가락은 타인의 옷으로 닦는다.

평소의 소피아라면 절대로 하지 않을 행동이지만, 아리아나 미란다보다 빠르게 성장 직전의 상태 불량에 들어갔다가 부활한 것이 오늘 아침이었다.

지금의 소피아는 성장 후 상태다.

텐션은 평소보다 높고, 보통은 성실한데 이럴 때는 너절해지는 것이 소피아였다.

아침부터 모니카를 붙잡고 모포로 로브 같은 것을 만들어 달라고 해서 그걸 착용하고 있다.

아침 식사 때부터 계속 뭔가를 먹는 것도 특징이다.

"으~음. 곤란하네요. 노엘 씨나 클라라 씨는 운전석에 있고, 이렇게 되면 모니카 씨에게 상대를 맡기기로 할까요."

지명을 받은 모니카는 진심으로 싫다는 표정을 지었다.

"······바쁘니까 건들지 말아 주세요."

모니카는 격노하고 있었다.

이유는 소피아가 먹는 과자와, 입고 있는 로브인지 모포인지 알 수 없는 옷 때문이다.

"치킨 자식을 위해 준비한 모포를 빼앗고, 제가 치킨 자식의 위장을 채우기 위해 만든 과자까지 먹어치운 밥벌레가 있어서! 저는 다음 휴식 시간에 요리와 과자를 만들 준비를 해야 해서 바쁘다고요."

'만들게 시킨 게 아니라, 만들던 걸 빼앗은 건가. 그야 화나겠네.'

소피아는 헤실거리고 있었다.

"상관없잖아요. 라이엘 공도 써도 된다고 하셨다고요. 제

피부로 데우는 편이 사용할 때 따스하고요."

"뭐? 네가 사용한 옷을 치킨 자식에게 쓰게 한다고? 있을 수 없네요. 준비가 끝나자마자, 이 모니카가 새로 준비하겠어요."

"에이~ 라이엘 공도 분명 사람 피부의 따스함이 그리울 거예요. 아, 알았다. 같이 데우면 되겠네요."

"닥쳐, 이 모포 여자야! 치킨 자식을 데워주는 것도 제 일이라고요!"

에바가 두 사람의 대화를 보며 어이없어했다.

"언제나 이래?"

아리아는 별로 말하고 싶지 않았지만, 미란다가 말이 없어서 대답할 수밖에 없었다.

"그래. 이런 식이야."

"떠들썩해서 즐거워 보이네."

어이없어서 한 말을 비아냥거리는 것으로 받아들일 여유는 아리아에게 없었다.

"그래. 즐거워. 언제나 즐거우니까, 나 좀 자게 해줘."

아리아가 모포를 머리까지 뒤집어쓰자, 에바가 흔들었다.

"기다려. 자면 곤란하다고! 소피아가 아까부터 내 머리를 잡아당기고 있단 말이야!"

이번에는 귀가 신경 쓰인 모양이다.

"엘프의 귀는 기네요."

"아얏! 잠깐, 아프니까 당기지 마!"

아리아는 모포 속에서 눈을 감았다.

'아아…… 아무것도 하고 싶지 않아.'

소피아가 귀찮은 일을 일으키고, 에바와 모니카의 떠들썩한 목소리가 들려오는 차내는 평온했다.

토벌대는 도시를 나왔다.

짐마차에는 토벌의 증거인 히포그리프의 시체가 실려있다.

다른 마물들은 태우고, 마석이나 비싼 소재 부분만 벗겨냈다.

그리폰만큼은 시체를 7대의 아츠— 박스에 통째로 보관하고 있다.

이동을 중단하고 긴 휴식에 들어가자, 바깥으로 나와 주변을 돌아봤다.

눈에 들어오는 건 혼자서 뭐라 중얼중얼하고 있는 리오넬이다.

"저 녀석, 계속 혼자인가?"

내 옆에 있던 샤논이 조금 불쌍함이 담긴 목소리로 말했다.

"리오넬의 친구가 말한 건데, 성장 후부터 상태가 이상해진 것 같아. 계속 저렇대."

원래는 텐션이 올라가야 하는데, 마치 절망한 표정으로 중얼중얼 혼잣말을 늘어놓고 있다. 친구들도 거북해서 거리를 두고 있는 모양이다.

그리고, 지금도 중얼중얼 혼잣말을 늘어놓고 있다.

"……무슨 일 있었나?"

"으~음. 사실을 가르쳐줬을 뿐?"

샤논이 그렇게 말하자, 보옥에서 목소리가 나왔다.

『현실은 때때로 험난하니까.』

『샤논이 상처가 되는 말을 했을지도 모르겠군요.』

『저 아이는 외모보다 더 어리니까.』

『그나저나, 정말로 한심한 녀석이군요.』

『동의하지만, 그리 좋은 경향으로 보이지는 않군요.』

말을 걸어야 할까? 하지만 미움받고 있는 내가 가봤자 더 고집을 부려서 말을 들어주지 않을지도 모른다.

"샤논. 뭔가 심한 소리라도 했어?"

"뭐? 어째서. 나는 아버님이 리오넬을 후계자로 삼을 리가 없다는 걸 가르쳐줬을 뿐이야. 그러고 보니, 라이엘이 자작가의 후계자에 흥미가 없다는 말도 했었어."

리오넬은 히포그리프 토벌로 공적을 세우면 사크라이 가의 데릴사위가 될 수 있으리라 여겼다. 그게 거짓말이라는 걸 알면 상처도 받겠지.

"너 때문에 상처받은 거 아냐?"

"실례네. 속아 넘어가는 건 불쌍하잖아."

나와 샤논의 대화를 듣던 4대가 짐작한 모양이다.

『……라이엘. 원인은 당신에게도 있습니다.』

내가 보옥을 쥐자, 3대가 가르쳐줬다.

『자신이 원하던 지위를, 경쟁 상대로 여기던 라이엘은 흥미조차 없다고 한다면 굴욕이겠지? 게다가 라이엘은 사실을 알고 있었으니까. 리오넬은 자존심이 너덜너덜해졌을 거야.』

……어? 내 잘못인가?

뭐라 말을 걸어야 하나 싶었지만, 6대가 『끝장을 낼 생각이냐?』라고 말해서 그만뒀다.

포터의 뒷부분에서 소피아 씨가 내려왔다.

모포를 로브처럼 두른 모습이 마음에 들었는지, 그대로 내려왔다.

샤논이 말했다.

"우와~ 내려와 버렸어."

나도 샤논도 소피아 씨에게 다가갔다. 당장 포터 안에 집어넣어야 한다.

"소피아 씨. 안에 있지 않으면 안 되잖아요. 모니카나 에바 씨는 뭐 해요?"

소피아 씨는 웃고 있었다.

웃으면서 내 팔을 안았다.

"두 사람 다 밖이에요~. 라이엘 공은 따스하네요. 저도 따스하니까 서로 안아줘요."

바깥에서 무슨 소리를 하는 거야.

"샤논, 바로 포터에 집어넣자."

"아, 알았어."

둘이서 소피아 씨를 억지로 밀어서 포터까지 데려갔다.

"기다려주세요~. 저, 밖에서 놀고 싶어요. 모니카 씨가 바깥에서 요리를 한다고 했어요. 집어먹지 않으면 실례에요."

샤논이 집어먹는다는 말에 흥미를 보였다.

"모니카가? 그건 빨리 집어먹지 않으면 실례네. 라이엘, 조금은 놀자."

노는 게 아니라 집어먹고 싶을 뿐이잖아.

"조금뿐이야."

모니카에게 가는 것을 허용하자, 두 사람이 끌어안았다.

"해냈다~."

"자, 빨리 가자. 라이엘."

그렇게 걸어갔을 때, 팔을 안고 있던 소피아 씨의 가슴팍에 여유가 생겨서 안쪽이 보였다…… 이 사람. 안쪽이 알몸이잖아.

신발을 신고 있지만, 안쪽은 전라였다.

"소피아 씨!"

"네?"

"어, 어째서 소, 속에!"

"으~웅? 아아, 이거 말인가요. 감촉이 좋아서요."

그런 이유로 펑퍼짐한 옷을 입지 말았으면 좋겠다. 나는 억지로 소피아 씨를 포터로 데려갔다.

"라이엘 공. 밥은요?"

"나중에 갖다줄 테니까 안에 있어요. 샤논, 너도 도와!"

"어째서?"

소피아 씨의 상태를 모르는 샤논은 고개를 갸웃했다.

리오넬은 휴식 중 앉아서 중얼중얼 혼잣말을 늘어놓고 있었다.

주변 이들은 그런 리오넬에게서 거리를 두고 있다.

"……어린 시절부터 바보 취급을 받았어. 영주 귀족 월트 가는 백작인데, 궁정 귀족 월트 가는 무직인 말석이라며 비웃음을 받았지. 친가는 분가 주제에 건방지다고 그래서, 나도 그런 줄 알았다고."

우수한 분가와 전혀 변하지 않는 본가.

주변에서 웃음거리가 되었다.

"어째서 내가 이런 꼴을 당해야 하는 거야. 우리 가문이 본가인데. 저쪽은 분가인데……."

리오넬은 생각난 것을 입 밖으로 계속 늘어놓았지만, 그 목소리를 듣는 사람은 없었다.

"그래. 맞아. 본가나 분가 같은 건 상관없어. 상관없다고. 누가 우수한가, 그것만이 중요해."

고개를 수그리고 웃는 리오넬의 얼굴은 멀쩡하지 않았다.

광기에 물든 얼굴을 가리고는 혼잣말을 이어가고 있다.

"그럼, 내가 라이엘보다 강해지면 되잖아. 그러면 라이엘을 괴롭히면서 누가 위인지 알게 해줄 수 있어. 내가 위야. 그래. 분명 내가 올바를 거야."

궁정 귀족의 말석.

리오넬에게 라이엘은…… 영주 귀족 월트 가는 미워할 수밖에 없는 가문이었다.

적반하장에 가깝지만, 본인에게는 그게 올바른 것이다.

자신과 비교하면 라이엘은 굉장했다.

리오넬이 왕도에서 신분이 높은 귀족의 부하 일을 하고 있을 때, 라이엘은 아름다운 여성을 거느리고 거금을 벌었다.

분가의 장남. 집안에서 쫓겨난 바보 아들. 그렇게 생각하고 있던 상대에게 지고 말았다.

압도적으로 패했다고 자각하자, 리오넬은 미쳐버렸다.

미쳐버려서 도착한 해답이 이것이다.

"반드시 라이엘을 뛰어넘어주겠어. 누가 올바른지 똑똑히 알려주는 거야. 그걸 위해서라면…… 뭐든지 하겠어."

어떤 수단을 써서라도 라이엘을 이기고 싶었다.

소피아 씨의 성장 후 증상으로 소란스러웠던 하루가 끝나려 하고 있었다.

밤. 나는 차내에서 누워 의식을 보옥으로 날렸다.

그곳에는 원탁에 떠오른 두 번째 무기가 빛나고 있었다.

2대가 남긴 은색 활은 단궁으로도 장궁으로도 변할 수 있다. 빛의 화살을 날릴 수 있는 뛰어난 무기이고, 2대처럼 성실한 건지 내 마력을 모조리 빨아들이지는 않는다.

순수하게 사용하기 좋은 무기였다.

완전히 정반대— 초대와 2대의 특징과 비슷하다.

그리고 그런 무기가 있다는 건, 이 자리에 2대가 없다는 걸 알려준다.

그로부터 보옥 안으로 들어오는 게 무서웠다.

그리폰과 싸우고 나서, 오늘까지 보옥 안으로는 한 번도 오지 않았었다.

원탁의 방에는 3대의 모습밖에 없다.

의자에 앉아 활을 바라보고 있다.

『어라. 겨우 각오가 됐어?』

3대가 놀랐다. 화난 건 아닌 모양이다.

"……저, 뭐라 말해야 좋을지 몰라서요."

2대와의 이별을 아쉬워하는 바람에, 결과적으로 최악의 이별이 되었다. 얼굴도 제대로 마주하지 못한 채 사라진 2대에게 미안한 마음이 가득하다.

『뭘 착각하는 건지 모르겠지만, 나도 아버지도 라이엘에게 화가 난 건 아니야. 다른 사람들은 모르겠지만, 우리는 기뻤으니까.』

"기뻤다고요?"

『결과적으로 2대─ 아버지는 루카를 구한 모습을 볼 수 있었어. 라이엘이 바로 아츠를 계승했다면, 아버지는 루카를 만날 수 없었을 거야. 라이엘 덕분에 만나게 되어서, 목숨을 건지는 모습도 볼 수 있었어. 그 순간, 아버지는 듀이 형을 구하는 모습과 겹쳐봤던 게 아닐까? 기뻐 보이더라고.』

결과적으로는 좋았다. 3대가 그렇게 말해주자 마음이 조금은 가벼워졌다.

『게다가 신경 쓸 필요는 없어. 우리는 기억이야. 본인은 이미 죽었고, 역할도 라이엘에게 아츠를 가르쳐주는 것이니까. 너무 신경 쓰는 것도 좋지 않아.』

"……마지막에 제대로 인사할 수가 없었으니까요."

『후회했어? 그래도 아버지는 라이엘에게 감사의 말을 전했어. 고맙다고. 라이엘이라면 괜찮을 거라고 말하기도 했고.』

너라면 괜찮을 거라는 말은 들었다.

듣기는 했지만…… 제대로 본인과 마주 보며 듣고 싶었다.

"제가 어리광을 부려서 아츠 계승을 거절하는 바람에, 2대에게 제대로 감사의 말도 하지 못해서."

눈물이 나왔다.

『충분해. 라이엘의 마음은 아버지에게 충분히 전해졌어. 그러니까 괜찮아.』

초대와의 이별은 갑작스러웠다.

2대와의 이별은…… 내가 실패한다면 계속 함께 있을 수 있을 줄 알았다. 하지만, 그게 잘 풀리지 않아서…….

『라이엘. 기억해둬. 나는, 우리에게는 존재하는 이유가 있어. 그 역할을 다할 생각이야.』

"……네."

『바로 헤어지고 싶다거나, 그런 뜻은 아니야. 그래도, 우리가 계속 여기서 라이엘의 인생에 얽히는 것도 부자연스럽잖아.』

지켜봐 주기를 바라는 건 사치인 걸까?

『슬슬 역할을 다하고 사라져도 되겠다고 생각하면 말을 할 거고, 라이엘이 말을 걸어줘도 돼. 단지, 언제나 곁에 있을 수는 없어.』

"……어째서인가요?"

『어엿한 한 사람 몫을 한다는 것은 그런 거니까. 당장 그러지는 않아도 되지만, 각오는 해두는 게 좋아. 원래 우리는 만날 일이 없어야 하는 사람들이야.』

고개를 끄덕이자 3대는 웃었다.

『착하네. 그나저나, 처음 무렵과 비교하면 몰라보겠어. 아직은 어설프고 미덥지 못하지만, 처음 만났을 때와는 천양지차야.』

여느 때의 3대로 돌아왔다.

"그, 그렇게 심각했나요?"

확실히 심각하긴 했지만, 천양지차 정도는…… 그렇게나 심했나?

『완전 꽝이었거든. 지금도 보면서 놀라는 일이 많아. 그나저나, 이번에는 여러 일이 있었네.』

히포그리프 토벌에 참가했는데, 나온 건 그리폰이었다. 거기서부터 지휘권을 빼앗고 도시를 지키고…… 확실히 여러 일이 있었다.

루카의 사정 같은 건, 솔직히 모르는 게 좋았을 거다.

역대 당주들이 기억으로 되살아난 바람에 이렇게 진실이 밝혀지기도 한다.

"6대 이야기는 정말로 놀랐어요."

『아~ 그거 말이지. 라이엘에게 뒤처리, 아니 속죄를 맡기는 형태가 되었으니까. 그나저나, 원조를 해줬던 가문은 어디일까? 가신이 약삭빠르게 대처한 건가?』

결국 알 수는 없었지만, 확실히 신경 쓰이는 이야기였다.

"그러고 보니, 이번 의뢰를 받은 이유는 뭐였나요?"

『뭐라고 생각해? 뭐, 알고는 있겠지만.』

역대 당주들이 했던 말을 생각하면, 노웸 일행 같은 우수한 인재에게 둘러싸인 것을 인정하라는 의미였을까?

"제 주변 사람들이 얼마나 우수한지를 알게 해주기 위해서였나요?"

『빗나간 건 아니지만, 미묘하네. 간단히 말하면, 라이엘도 라이엘 주변에 있는 아이들도 우수하니까. 성공하고자 하는 사람들이나, 그 밖에도 여러 종류의 사람이 있다는 것을 알아주기를 바랐어. 실제로 놀랄 일이 많았지?』

뭐, 여러 사람이 있기는 했다.

리오넬을 시작으로, 노마 씨에게도 놀랐다. 그렇게까지 출세하고 싶은 걸까? 편하게 돈을 벌고 싶다는 마음이 너무 강하다고 해야 할까…… 응. 심각했다.

『라이엘은 기본적으로 우수하잖아. 평범한 사람의 마음 같은 건 모를 거고, 주변 아이들도 좀 그러니까…….』

노웸이나 다른 일행에게도 문제가 있다는 듯한 말투였다.

『딱히 남들의 마음을 이해하라는 말까지는 하지 않겠어. 그래도, 여러 사람이 있다는 건 기억해두라고.』

"……네."

그리고 경계하는 목소리로 말했다.

『그리고 리오넬 말인데, 조금 위험할지도 몰라.』

"리오넬이요?"

『이번 일은, 그에게는 자극이 너무 강했던 것 같아. 경계해두는 게 좋을지도 몰라.』

　나는 3대의 어드바이스를 수긍했다.

　확실히, 리오넬의 태도는 별로 좋지 않았다.

　나는 마지막으로 확인했다.

　"3대."

　『응?』

　"3대가 활이 아니라 검을 고른 이유는―."

　『……깊은 의미는 없어. 2대에게 말했듯이, 귀족이 언제까지나 활을 들고 있으면 바깥의 평판이 안 좋아지거든. 검이나 창이야말로 귀족의 무기! 그렇게 생각하는 사람이 지금보다 많은 시대였으니까, 나는 검을 고른 거야.』

　"그, 그런가요."

　『자라고 나서는 검을 들고 일각토끼를 잡으러 돌아다녔어. 할아버지, 아버지, 아들 셋이서 씨를 말릴 기세로 애를 썼지. ……무리였지만.』

　일각토끼 혐오자인 세 사람의 과거를 들은 나는 무슨 표정을 지어야 좋을지 알 수가 없었다.

　『……듀이 형이 눈앞에서 죽고 나서, 구할 수 있을 만큼 강해지자고 생각했거든. 결국 나도 형에 대한 일을 질질 끌고 있었을지도 몰라.』

　3대는 원탁의 방에 떠오른 은색의 활을 바라보며 심정을 토로했다.

―소피아는 무릎을 부여잡고 앉아있었다.

차내에는 아리아와 미란다가 모포를 둘둘 말고 누워있다.

무릎에 얼굴을 묻고 어제의 자신을 돌이켜봤다.

"……부끄러워서 라이엘 공의 얼굴을 볼 수 없어요."

로브 하나만 걸치고 속은 알몸이라는 상태로 돌아다니질 않나, 하루 만에 엄청난 양을 먹은 바람에 몸이 무거웠다.

샤논이 어이없다는 표정을 지었다.

"우리 집에 있을 때는 속옷 차림으로 어슬렁거렸잖아. 이제 와서 부끄러워할 이유가 뭔데?"

소피아가 고개를 들었다.

"알몸을 보이는 것하고는 다르잖아요!"

"그렇게 다르지 않은 거 아냐?"

두 사람이 말다툼을 시작하자, 미란다가 천천히 일어났다.

안색이 나쁜 건 어제와 똑같지만, 눈이 퀭하고 눈동자에는 빛이 없었다.

까놓고 말해서 무서웠다.

"……물."

"네, 넵. 언니!"

물통을 든 샤논이 미란다의 말에 반응해서 물을 내밀었다.

샤논에게 받은 물통으로 물을 마신 미란다는 흐리멍덩한 분위기로 소피아를 노려봤다.

"……힘드니까 조용히 해."

소피아는 고개를 계속 끄덕였다.

"네, 넵!"

미란다가 나른하게 있던 와중, 천장 해치에서 라이엘이 내려왔다.

"역시 세 사람이나 천장에 있을 필요는 없네."

운전석에는 클라라와 모니카.

천장에는 노웸과 에바가 파수를 보고 있었다.

그러자 미란다의 모습이 격변했다. 몸이 안 좋은 건 변함이 없지만, 눈에 빛이 돌아왔다. 조금 힘들어하는 분위기를 내고는 있지만.

"라이엘, 어서 와."

"미란다 씨는 자고 있어야 하잖아요. 아직 힘들어 보이는데요."

"괜찮아. 쉬고 있으니까. 그래도, 이번에는 꽤 힘드네."

라이엘이 미란다 옆에 앉는 모습을 바라보면서, 소피아는 이렇게 생각했다.

'성장 전이라 힘들 텐데, 이렇게나 상대를 배려하다니 미란다 씨는 굉장하네요. ……조금 무섭긴 하지만.'

기합으로 괴로움을 참고 라이엘과 이야기를 나누는 모습을 보면서 소피아는 순수하게 감탄했다.

샤논을 보니, 미란다의 분위기가 달라진 것에 안도하고 있었다.

물통을 받아서 다시 고개를 기울였다.

라이엘은 괴로워 보이는 미란다를 어떻게 해줘야 할지 고민했다.

"으, 으음. 뭔가 하는 게 나을까요?"

"신경 쓸 것 없어. 하지만, 그래…… 잠깐 무릎베개라도 해 줬으면 좋겠네."

"그걸로 된다면요."

소피아는 라이엘에게 당당히 무릎베개를 요청하는 미란다를 보며 놀랐다.

'그, 그런 대담한 짓을! 아니, 라이엘 공도 간단히 받아들이고 있고!'

무릎베개를 해준 라이엘은 조금 쑥스러운 표정을 지으면서도 미란다의 어깨에 손을 올렸다.

그걸 부럽게 바라보던 소피아는 갑자기 포터의 스피드가 줄어드는 걸 알아챘다.

"휴식 시간인가요?"

샤논이 고개를 가로저었다.

"아니야. 아까 휴식했었잖아."

뭔가 문제가 있는 건가 싶어서 소피아는 일어섰다. 이변을 느끼고 해치에서 에바가 고개를 내밀었다.

"저기, 왜 멈춘 거야?"

포터는 멈춰버렸다.

"저도 모르겠어요. 바깥 상황은 어떤가요?"

"아무것도 없으니까 묻는 거잖아. 그러면, 포터에 문제라도 생긴 걸까?"

소피아가 운전석에 고개를 내밀려 하자, 모니카가 클라라를

업고 찾아왔다.

"클라라 씨?!"

소피아가 걱정하자 모니카가 말했다.

"괜찮아요. 몸이 급격히 안 좋아지더라고요. 여러분과 같은 성장의 전조라고 판단했어요. 이대로 운전할 수는 없으니, 쉬는 게 좋겠네요."

그리고 모니카는 라이엘을 바라봤다. 미란다를 보고는 조금 재미없다는 표정을 짓다가 바로 웃는 얼굴로 변했다.

"치킨 자식. 그렇게 됐으니까 운전을 부탁할게요."

"응, 알았어. 미란다 씨. 미안해요."

"으, 응. 괜찮아. 클라라가 움직이지 못하면 어쩔 수 없지."

소피아는 미란다가 순간적으로 모니카를 노려본 것을 놓치지 않았다. 모니카는 모니카대로 그런 미란다에게 승리를 뽐내는 미소를 짓고는 라이엘을 운전석으로 데려갔다.

"치킨 자식. 둘이서 꽁냥꽁냥 함께 지내요."

"아니, 안 할 거거든."

운전석으로 사라지는 두 사람을 배웅한 미란다의 분위기가 다시 나빠졌고, 소피아는 샤논에게 도움을 요청했다. 그러나 샤논은 소피아에게 물통을 떠넘겼다.

"나, 나도 운전석으로 갈까!"

에바도 「문제는 없네」라고 말하며 해치를 닫았다. 소피아는 세 사람이 누운 곳에서 혼자 남게 되었다.

'잠깐만요. 누가 저 좀 도와주세요오오오!'

그런 소피아를 도울 사람은 아무도 없었고, 다음 휴식 때까지 거북한 시간이 흘러갔다.

운전석.

포터의 운전을 이어받은 나는 모니카와 샤논이 옆에서 노는 모습을 들으며 보옥에 손을 댔다.

"잠깐만. 이거 바로 풀리잖아!"

"훗, 쪼그만 계집애에게 실뜨기는 너무 고상한 놀이였던 모양이네요. 뭐, 이 모니카. 노는 것에도 힘을 빼지 않아요. 제가 져주는 것은 치킨 자식뿐이에요."

"그거 치사하지 않아? 나도 좀 봐줘. 자, 한 번 더 해."

"도전은 몇 번이고 받아들이죠. 자, 덤비세요."

두 사람은 털실을 엮어서 만든 끈으로 놀고 있었다.

천천히 이동하는 포터 주변에는 도보로 이동하는 토벌대 사람들이 있다.

걷는 스피드에 맞춰 이동하면서 보옥을 움켜쥐었다.

언젠가, 전원이 보옥에서 사라지는 날이 올까?

나는 다섯 명과 납득할 수 있는 이별을 맞이할 수 있을까?

언젠가 이별할 때가 온다고 생각하니— 마음이 괴로웠다.

■역자 후기

안녕하세요. 불초 역자입니다.

이번 이야기는 그리폰 퇴치였네요. 그리폰 하면 역사와 전통을 자랑하는 상급 몬스터. 여기서도 역시 마물들을 이끄는 대장으로서 상당한 위엄을 보여줬습니다. 개인적으로도 좋아하는 몬스터라서 즐겁게 봤네요. 하늘을 나는 몬스터다운 위협적인 모습도 충분히 보여줬다고 생각합니다. 그리고 그런 그리폰을 훌륭하게 퇴치해낸 라이엘 일행의 능력도 대단했고요. 일행들이 점점 성장하는 모습을 보여준 것 같아서 좋았습니다.

그리고 이번 이야기로 2대가 퇴장했습니다. 개성이 강한 역대 당주들, 그중에서도 초대와 3대 사이에 낀 2대는 여러모로 수수하다는 인상을 주기는 했죠. 그래도 2대의 과거와 흡사한 상황에서 그 후회를 보상받게 해준 라이엘에게 진심으로 감사를 표하며 사라지는 모습은 인상적이었습니다. 초대가 퇴장할 때도 느낀 거지만, 역대 당주들과 라이엘의 캐미가 이 소설의 핵심이라고 생각하고 있는지라 이렇게 하나둘씩 사라지는 모습은 역시 안타깝긴 하네요. 불가피한 일이지만요.

그럼 후기는 이쯤 하고, 다음 권에서 뵙겠습니다.

세븐스 6

초판 1쇄 발행 2021년 5월 10일

지은이_ Yomu Mishima
일러스트_ Tomozo
옮긴이_ 이경인

발행인_ 신현호
편집부장_ 윤영천
편집진행_ 김기준 · 김승신 · 원현선 · 권세라 · 유재슬
편집디자인_ 양우연
관리 · 영업_ 김민원 · 조인희

펴낸곳_ (주)디앤씨미디어
등록_ 2002년 4월 25일 제20-260호
주소_ 서울시 구로구 디지털로 26길 111 JnK디지털타워 503호
전화_ 02-333-2513(대표)
팩시밀리_ 02-333-2514
이메일_ lnovelpiya@naver.com
ㄴ노벨 공식 카페_ http://cafe.naver.com/lnovel11

SEVENTH 6
ⓒ Yomu Mishima 2018
Originally published in Japan by Shufunotomo Infos Co., Ltd.
Translation rights arranged with Shufunotomo Infos Co., Ltd.
Through Shufunotomo Co., Ltd.

ISBN 979-11-278-5971-8 04830
ISBN 979-11-278-4190-4 (세트)

값 7,800원

스테이터스 올 인피니티 1권

야마타 나가토 지음 | 시소 일러스트 | 박경용 옮김

고교생인 유메사키 토모야는, 어느 날 갑자기 동급생 네 명과
이세계로 소환되어 버린다.
토모야 일행을 불러낸 국왕은 이렇게 고했다.
"마왕을 토벌해줬으면 한다."
방금 전까지 평범한 고교생이었던 토모야 일행이 마왕을 토벌할 수 있을까?
이 이세계에서는 소환된 자에게 신이 내리는 강력한 은혜— 스테이터스가 생긴다.
토모야가 아닌 일행들의 스테이터스는 100을 넘는 숫자가 적혀있고,
강력한 스킬까지도 가지고 있었다.
그런데 토모야의 스테이터스는 모두 00. 스킬란에도 「올 00」이라고 적혀 있었다.
신이 내려주는 은혜를 받지 못했기 때문에, 토모야는
마왕 토벌의 파티에서 제외되어 버리는데—.

왕녀 전하는 화가 나셨나 봅니다 1~2권

야츠하시 코우 지음 | 나기시로 미토 일러스트 | 이진주 옮김

왕녀이자 최강의 마술사인 레티시엘은
전쟁으로 목숨을 잃고 천 년 뒤의 세계에 전생한다.
그녀는 마력이 없다는 이유로 무능영애로 취급 당하지만,
레티시엘로서 익힌「마술」은 사용할 수가 있었다.
그 뒤, 학원에서 레티시엘은 천년 뒤의「마술」을 직접 목격하고—
그 조잡함에 격노한다!
레티시엘이 선보인「마술」은 학원을 경악시키고,
이윽고 국왕에게까지 알려지기에 이른다.
정작 레티시엘은「마술」연구에 몰두하느라
그 사실을 전혀 알아차리지 못하는데—?!

전생 왕녀가 자신의 길을 걷는
최강 마술담, 개막!!